C.R.A.Z.Y.

Le scénario

Jean-Marc Vallée
avec la collaboration de François Boulay

C.R.A.Z.Y.
Le scénario

Les 400 coups

Nous remercions le Conseil des Arts du Canada de l'aide accordée à notre programme de publication, et la SODEC pour son appui financier en vertu du Programme d'aide aux entreprises du livre et de l'édition spécialisée.

Nous reconnaissons l'aide financière du gouvernement du Canada par l'entremise du Programme d'aide au développement de l'industrie de l'édition (PADIÉ) pour nos activités d'édition.

C.R.A.Z.Y. Le scénario a été publié sous la direction de Raymond Plante.

Page couverture : d'après l'affiche du film *C.R.A.Z.Y.* par Karine Savard
Photos de tournage : Sébastien Raymond
Révision linguistique : Andrée Laprise
Correction : Marie-Claude Rochon (Scribe Atout)
Composition typographique : Nicolas Calvé

Diffusion au Canada
Diffusion Dimedia
539, boul. Lebeau
Saint-Laurent (Québec)
H4N 1S2

Dépôt légal – 4ᵉ trimestre 2005
Bibliothèque nationale du Québec, Bibliothèque et Archives Canada

ISBN 2-89540-285-X

Imprimé au Canada sur les presses de Quebecor World Lebonfon

Mot de l'éditeur

Un scénario demeure, par sa nature même, un texte en sandwich. Un entre-deux, coincé entre l'imaginaire du scénariste et celui du réalisateur, des comédiens, du producteur et de toute l'équipe qui lui insuffle la vie. C'est une histoire de mots en quête d'images, de mouvements qui demande des acteurs, des musiques, des couleurs, un rythme. Elle exige un alliage de talent, de travail et d'âme pour devenir art, c'est-à-dire la manifestation d'un monde et d'une culture.

Par ailleurs, acteurs, réalisateurs et techniciens vous le diront : *pour faire un bon film, il faut une bonne histoire.*

Aux 400 coups, nous aimons les bonnes histoires. Surtout quand le récit déborde d'énergie, de sensibilité et de vérité.

Disons-le franchement : nous avons voulu faire un livre du scénario de *C.R.A.Z.Y.* parce que c'est une excellente histoire et que cette histoire est devenue un film formidable.

Jean-Marc Vallée a mis plus d'un an pour écrire le scénario de *C.R.A.Z.Y.*, avant de le réaliser et de le coproduire. Il a demandé la collaboration de François Boulay pour la trame de l'histoire. Tous deux admettent qu'ils ont puisé dans leurs expériences personnelles pour nous livrer ce portrait vibrant de force et d'humanité d'une famille québécoise, dans sa simplicité et sa complexité.

Au moment de mettre sous presse, nous savons déjà que *C.R.A.Z.Y.* a connu un immense succès en salle. Il a représenté le Canada au Festival de Venise où il a reçu un accueil plus que chaleureux. Il a reçu le prix du meilleur film canadien au Festival international de Toronto. Il représentera le Canada dans la fameuse course aux Oscars, catégorie du meilleur film étranger. Il est également vendu dans une cinquantaine de pays.

Tout cela est formidable mais, pour la plupart d'entre nous, *C.R.A.Z.Y.* aura été le film de l'été 2005, celui qui nous rappelle des souvenirs d'un passé pas si lointain, qui nous a émus, nous a fait rire, celui dans lequel plusieurs ont reconnu des parties d'eux-mêmes.

Comme certaines chansons, qui ont fortement marqué une saison, nous collent à la mémoire, nous croyons que *C.R.A.Z.Y.* est inoubliable.

Ce livre vous invite donc à découvrir le scénario intégral du film, tel qu'il a été tourné, un cahier d'une vingtaine de photos de tournage, incluant l'affiche de collection, chère au cœur de Jean-Marc Vallée, et surtout — parce que nous jugeons que le livre serait incomplet sans cela — l'approche du réalisateur, c'est-à-dire le document par lequel Vallée a exprimé la manière dont il entendait tourner et monter son scénario pour qu'il devienne une œuvre véritable, complète.

A-t-il atteint tous les buts qu'il s'était fixés? Certainement pas. Du moins, nous l'espérons. Parce qu'un film, c'est aussi le lieu d'un rêve et nous souhaitons que son créateur se donne encore le temps de rêver. Si son *C.R.A.Z.Y.* reste une œuvre extraordinaire, Jean-Marc Vallée en a d'autres à inventer. Nous les attendons !

Raymond Plante

C.R.A.Z.Y.
FICHE ARTISTIQUE

C.R.A.Z.Y.
UN FILM DE JEAN-MARC VALLÉE

PRODUCTEUR	**PIERRE EVEN**
COPRODUCTEUR	**JEAN-MARC VALLÉE**
PRODUCTEURS EXÉCUTIFS	**JACQUES BLAIN** **RICHARD SPEER**
PRODUCTRICE DÉLÉGUÉE	**NICOLE HILARÉGUY**
SCÉNARIO ET DIALOGUES	**JEAN-MARC VALLÉE**
EN COLLABORATION AVEC	**FRANÇOIS BOULAY**
IDÉE ORIGINALE DE	**FRANÇOIS BOULAY** **JEAN-MARC VALLÉE**
CONCEPTION VISUELLE	**PATRICE BRICAULT-VERMETTE**
DIRECTION PHOTO	**PIERRE MIGNOT**
DIRECTION DES EFFETS VISUELS	**MARC CÔTÉ**
CONCEPTION SONORE	**MARTIN PINSONNAULT**
PRISE DE SON	**YVON BENOÎT**
MONTAGE	**PAUL JUTRAS**
COSTUMES	**GINETTE MAGNY**
DISTRIBUTION DES RÔLES	**DANIEL POISSON**

PERSONNAGES ET INTERPRÈTES

GERVAIS BEAULIEU	**MICHEL CÔTÉ**
ZACHARY BEAULIEU 15 À 21 ANS	**MARC-ANDRÉ GRONDIN**
LAURIANNE BEAULIEU	**DANIELLE PROULX**
ZACHARY BEAULIEU 6 À 8 ANS	**ÉMILE VALLÉE**
RAYMOND BEAULIEU 22 À 28 ANS	**PIERRE-LUC BRILLANT**
CHRISTIAN BEAULIEU 24 À 30 ANS	**MAXIME TREMBLAY**
ANTOINE BEAULIEU 21 À 27 ANS	**ALEX GRAVEL**
MICHELLE 15 À 22 ANS	**NATACHA THOMPSON**
DORIS	**JOHANNE LEBRUN**
BRIGITTE 15 À 20 ANS	**MARILOUP WOLFE**
PAUL	**FRANCIS DUCHARME**
MADAME CHOSE	**HÉLÈNE GRÉGOIRE**
PSYCHOTHÉRAPEUTE	**MICHEL LAPERRIÈRE**
PRÊTRE	**JEAN-LOUIS ROUX**
BÉDOUIN	**MOHAMED MAJD**
NARRATEUR	**CLAUDE GAGNON**
RAYMOND BEAULIEU 13 À 15 ANS	**ANTOINE CÔTÉ-POTVIN**
CHRISTIAN BEAULIEU 15 À 17 ANS	**JEAN-ALEXANDRE LÉTOURNEAU**
ANTOINE BEAULIEU 12 À 14 ANS	**SÉBASTIEN BLOUIN**
YVAN BEAULIEU 15 À 16 ANS	**FÉLIX ANTOINE DESPATIE**
YVAN BEAULIEU 8 À 9 ANS	**GABRIEL LALANCETTE**
ONCLE GEORGES	**DENIS TRUDEL**
TANTE DIANE	**PAULE DUCHARME**
GRAND-MÈRE ANGÈLE	**ALINE HOOPER**
TANTE MONIQUE	**ISABELLE PAGÉ**
ONCLE LUCIEN	**CHRISTIAN VÉZINA**

CORINNE	**ANIK VERMETTE**
MIN	**MARIE-YONG GODBOUT-TURGEON**
VENDEUR KIOSQUE DE CARTES POSTALES	**AZIZ HATTAB**
JEUNE ÉTRANGER	**PHILIPPE MULLER**
JÉRÔME	**JÉRÔME AUBIN**
JEUNE PRÊTRE	**JEAN-MARC VALLÉE**
MICHELLE 6 À 8 ANS	**MARIE-MICHELLE DUCHESNE**
THOMAS	**ALEXANDRE AYOTTE**
ÉCOLIER COSTAUD	**MATHIEU PELLETIER**
BRIGITTE 6 ANS	**ÉLIZABETH ADAM**
RAYMOND BEAULIEU 7 ANS	**EMMANUEL RAYMOND**
CHRISTIAN BEAULIEU 9 ANS	**CHARLES-ÉDOUARD TANGUAY**
ANTOINE BEAULIEU 6 ANS	**ÉMILE GAGNON-GIRARD**
BÉBÉ ZACHARY NAISSANT	**OLIVIER BÉNARD**
BÉBÉ YVAN 7 MOIS À 1 AN	**DAVID VAILLANT** **HUGO VAILLANT**
BÉBÉ YVAN 3 MOIS	**ALEXANDRE MARCHAND**
BÉBÉ YVAN NAISSANT	**NIKITA JAKSI**
COORDONNATEUR DE CASCADES	**DAVE McKEOWN**

C.R.A.Z.Y.
LE SCÉNARIO

C.R.A.Z.Y.

1 <u>NOIR</u>

Un soufflement étrange mais doux à l'oreille occupe
l'espace sonore. Des bruits sourds de battements de cœur
et de clapotis de vagues l'accompagnent.

Une image abstraite à dominante rouge et aux formes
mouvantes apparaît. Puis, lentement, on distingue un
fœtus humain. Il remue doucement, porté et bercé par le
liquide amniotique.

Une musique de Noël se met à jouer en sourdine.

> NARRATEUR (V.O.)
> D'aussi loin que je me rappelle, j'ai
> toujours détesté Noël!

Le fœtus fait la moue et se met à pousser sur les parois
de l'enveloppe utérine.

2 <u>INT. NUIT - SALON - BUNGALOW BEAULIEU (1960)</u>

La musique de Noël se poursuit, plein volume.

Une femme d'allure soignée, LAURIANNE BEAULIEU, 34 ans,
enceinte jusqu'aux yeux, se prend le ventre, surprise
par la force de son bébé à venir. Elle se tient debout,
près de la cuisine, à ne rien faire sinon savourer le
bonheur de regarder ses HOMMES:

GERVAIS BEAULIEU, 35 ans, les tempes grisonnantes, est à genoux au pied d'un sapin de Noël artificiel à assembler un circuit de course automobile miniature en compagnie de ses trois fils...

... CHRISTIAN, 9 ans, le plus tranquille des trois, le type intellectuel. Ses verres de fond de bouteille ne l'avantagent pas, mais lui permettent de lire le manuel d'instructions du circuit de course. Et cela à voix haute, pour enterrer ses frères bruyants.

Un seul coup d'œil sur RAYMOND, 7 ans, suffit pour nous faire comprendre ce qu'il est: un voyou... mais de bonne famille. Il est très beau garçon malgré une cicatrice près de l'œil, des ongles sales comme un garagiste et un plâtre au bras, couvert de graffitis et de têtes de morts, avec lequel il prend plaisir à frapper son frère cadet...

... ANTOINE, 6 ans, dit le sportif. Ne serait-ce de ses oreilles décollées et de la morve qui lui coule du nez, il serait, lui aussi, beau gosse.

Le portrait d'ensemble est amusant: les garçons ont tous la coupe de cheveux «sixties» de leur père.

Laurianne se penche soudainement pour regarder entre ses jambes. Elle perd ses eaux.

                    LAURIANNE
          Gervais!

Gervais se tourne vers sa femme. Ses yeux s'écarquillent.

3   INT. NUIT - SALLE D'ACCOUCHEMENT - HÔPITAL (1960)   3

SILENCE ÉTRANGE et RALENTI.

Laurianne est immobile comme une statue sur la table d'accouchement. Le visage en sueur, les jambes en sang, elle regarde devant elle avec un calme déroutant.

Son PDV: un bébé naissant, ZACHARY BEAULIEU, est étendu sur une table, bleu et inerte. Une INFIRMIÈRE agite nerveusement un masque à oxygène sur la bouche de l'enfant, alors qu'un MÉDECIN s'applique à lui donner un massage cardiaque.

Le tic tac d'une montre se fait entendre.

4   <u>SALLE D'ATTENTE – HÔPITAL – SUITE</u>   4

EXTRÊME GROS PLAN d'une MONTRE qui indique l'heure:
00h14. La grande aiguille est juste au-dessus d'un
rectangle qui affiche: «25 déc».

Gervais fait les cent pas en regardant sa montre. Ses
trois fils dorment assis sur des chaises derrière lui.
La salle est quasi déserte. Le père s'immobilise
lorsqu'il aperçoit le médecin qui s'approche en
affichant un air épuisé.

5   <u>CHAMBRE – HÔPITAL – PLUS TARD</u>   5

Une porte s'ouvre brusquement. Gervais entre dans la
chambre, l'air fébrile, les yeux vitreux. Ses fils à
moitié endormis se traînent derrière lui. Il s'approche
du lit sur lequel est étendue Laurianne qui affiche un
air épuisé mais radieux. Elle cajole tendrement son
nouveau-né qui semble bien en vie maintenant.

                    LAURIANNE
          Mon beau p'tit Jésus...

Gervais ravale l'émotion qui lui serre la gorge. Il est
hors de question de pleurer, surtout devant ses fils. Il
tend les bras pour prendre le petit. Laurianne le lui
remet avec précaution.

Raymond-le-voyou empoigne le bras de son père pour
regarder le bébé. Ce faisant, Gervais échappe son
enfant, tandis que Laurianne échappe un cri de mort.

GROS PLAN de Bébé Zachary en chute libre, au RALENTI.

Le PDV de Zachary, dans sa chute libre, tente de faire
le point sur le visage pétrifié de Gervais qui disparaît
bientôt dans un noir absolu.

Un CHŒUR D'ENFANTS se fait entendre.

6   <u>INT. NUIT – ÉGLISE (1966)</u>   6

Le noir de la transition disparaît et réapparaît à
plusieurs reprises nous laissant voir sporadiquement
deux PDV légèrement différents d'une CHORALE d'une
trentaine d'ENFANTS qui chantent *Minuit Chrétien*. Il
s'agit là du PDV de...

... ZACHARY, âgé maintenant de 6 ans. Le gamin s'amuse à fermer et à ouvrir l'œil droit puis le gauche. Il est assis sur un banc d'église en première rangée avec les membres de sa famille :

Laurianne, 40 ans, est encore enceinte. RAYMOND le voyou, 13 ans, et ANTOINE le sportif, 12 ans, s'échangent des coups de coude, tandis que Gervais, 41 ans, écoute fièrement la chorale parmi laquelle figure un ado aux verres de fond de bouteille, CHRISTIAN l'intello, 15 ans.

Un SOUS-TITRE apparaît : NOËL 1966.

Zachary ne semble pas apprécier la cérémonie.

> NARRATEUR (V.O.)
> Non seulement ma fête allait toujours
> passer inaperçue, mais il fallait que je
> la commence à la messe de minuit.

Zac glisse la main sur ses cheveux derrière la tête et les caresse longuement, alors qu'il regarde autour de lui avec de petits yeux intenses et sévères. Celui-là a quelque chose de différent de ses frères, de mystérieux.

Son PDV s'arrête sur une statue du petit Jésus dans une crèche...

... puis sur un VIEUX PRÊTRE qui, pris d'un élan soudain, se lève et interrompt la chorale pour s'adresser aux FIDÈLES.

> LE VIEUX PRÊTRE
> Les messes de minuit sont trop longues.
> Rentrez chez vous, là, pis allez
> développer vos cadeaux !

Tous les ENFANTS bondissent de joie. On applaudit.

Zac affiche un air espiègle qu'il perd rapidement lorsque Gervais lui donne une tape derrière la tête. Zac se lâche aussitôt les cheveux. Gervais lui fait comprendre, d'un air sévère, de suivre la cérémonie. La chorale chante toujours et personne n'applaudit. Zac devient triste et confus.

Laurianne pose un œil inquisiteur sur son fils.

7   <u>INT. NUIT - HALL - MAISON DES GRANDS-PARENTS (1966)</u>   7

Laurianne aide Zac à se dévêtir. Gervais et ses fils
aînés font leur entrée dans le salon où règne une
ambiance de fête. Nous voyons Zac de dos.

                    LAURIANNE
          Au contraire, t'es chanceux d'être né en
          même temps que lui. Ça arrive pas à
          n'importe qui, ça, c'est spécial. C'est
          pas pour rien que t'as une belle tache de
          naissance dans les cheveux. C'est un
          signe de don, ça, tu le sais.

Laurianne lui retire sa tuque. La caméra s'approche et
nous fait découvrir une mèche de cheveux décolorés près
de la nuque, là où il se touchait à l'église. FLASH.

8   <u>INT. NUIT - SALON - MAISON DES GRANDS-PARENTS (1966)</u>   8

EXTRÊME GROS PLAN du visage de Zac bombardé de FLASHES
D'APPAREILS PHOTO et de BAISERS MOUILLÉS sur les joues.

Laurianne, Gervais et leurs fils font le tour de la
pièce en embrassant la PARENTÉ. Zac réussit à se défaire
de ses TANTES et s'arrête devant des FILLETTES de son
âge avec un large sourire.

                    NARRATEUR (V.O.)
          Au moins, après la messe, il y avait les
          réveillons chez ma grand-mère Beaulieu.

Un couple, fin trentaine, LUCIEN et MONIQUE, accompagné
d'une fillette de 6 ans, BRIGITTE, fait son entrée.
Lucien brandit fièrement sa clef de Cadillac au nez de
Gervais. Les deux hommes commencent à se narguer, tandis
que Brigitte et Zac s'échangent un sourire.

                    BRIGITTE
          Zac, c'est ta fête!

GRAND-MÈRE ANGÈLE fait sonner une clochette. Les enfants
se ruent aussitôt sur les cadeaux posés au pied d'un
grand sapin naturel. La grand-mère commence la
distribution des cadeaux. Elle remet à Zac une immense
boîte joliment emballée.

                    NARRATEUR (V.O.)
          Le seul avantage d'avoir sa fête en même
          temps que Noël, c'est d'avoir un plus
          gros cadeau que les autres.

Zac déchire le papier d'emballage de son cadeau et
découvre un jeu de hockey sur table.

Les autres enfants lancent un «WOW» simultané, tandis
que Zac reste silencieux.

Gervais observe la réaction de son fils d'un œil
inquiet. Zac croise son regard puis regarde sa mère avec
un air de chien battu.

9   EXT. JOUR – STATIONNEMENT – CENTRE COMMERCIAL –   9
     FLASHBACK (1966)

Gervais lit un journal, seul à bord de sa Chrysler 66.
Il lève la tête et fige de surprise.

                    GERVAIS
          Ah ben, câlic.

Gervais dépose son journal et sort.

10   INT./EXT. JOUR – CHRYSLER 66 – CENTRE COMMERCIAL –   10
     PLUS TARD

La portière se ferme sur Zac qui, vêtu d'un grand
chandail de hockey défraîchi, est assis sur la banquette
arrière à épier, par le rétroviseur, sa mère et son père
qui discutent à l'extérieur derrière la voiture. Zac
entr'ouvre la fenêtre pour écouter ses parents qui
parlent en catimini.

                    LAURIANNE
          Ben oui, mais c'est ça qu'il voulait!

                    GERVAIS
          Pis! C'est pas lui qui décide. Tu m'en
          feras pas une fifi.

                    LAURIANNE
          Il a juste 5 ans, voyons donc!

                    GERVAIS
     Il va avoir 6. Pis y'a d'l'air de 7. Y'a
     pas de voyons donc, là, tu vas me
     retourner ça, ces affaires-là!

Gervais revient et reprend place derrière le volant. Un
temps pendant lequel le père observe son fils puis
sourit... jaune.

                    GERVAIS
     Tu ferais rire de toi avec ça, mon loup.
     Papa veut pas ça.

Zac demeure muet et regarde sa mère qui rebrousse chemin
vers le centre commercial en poussant un jouet que l'on
n'arrive pas à voir mais que l'on devine être sur des
roues.

11 <u>INT. NUIT – CHAMBRE DE ZAC & ANTOINE – FLASHBACK (1966)</u>   11

Antoine-le-sportif dort dans un lit jumeau superposé à
celui de Zac qui est couché mais qui ne dort pas.
Laurianne est assise à côté de lui et se fait
réconfortante.

                    LAURIANNE
     Papa veut pas te faire de peine, t'sais!
     Il t'aime ben trop. C'est pour ça qu'il
     veut que t'aies un beau jeu de hockey.
     Pour jouer avec toi.

La mère embrasse son fils.

                    LAURIANNE
     Fais dodo, là. Maman va avoir une belle
     surprise pour toi, bientôt.

Laurianne s'éloigne en caressant distraitement son gros
ventre.

                    ZACHARY
     Pour ma fête?

                    LAURIANNE
     Non, après, tu vas voir. Dors.

Un temps.

                          ZACHARY
          C'est quoi une fifi?

Laurianne s'arrête et se retourne. Elle reste muette un
instant, hésitante.

                         LAURIANNE
          C'est rien... c'est des niaiseries. Dors,
          là.

Laurianne sort de la chambre.

Antoine ne dormait pas. Il soupire.

                          ANTOINE
                 (pour lui-même, tout bas)
          Épais.

Zac se replie sur lui-même.

                       NARRATEUR (V.O.)
          Je savais très bien ce qu'était une fifi
          et savais surtout... que je ne voulais
          pas en être une.

12   EXT. JOUR – ENTRÉE DE GARAGE – BUNGALOW BEAULIEU (1967)   12

Zac est debout près de la toute nouvelle Chrysler 67 de
Gervais. Il mâche une gomme en tenant un tuyau
d'arrosage qui laisse couler un faible filet d'eau.

Cigarette au bec, Gervais fait briller le pare-choc de
son bolide, tout en bougeant au rythme d'une chanson de
Patsy Cline, *Back in Baby's Arms*. L'homme semble fier de
porter une camisole moulante.

La petite voisine, MICHELLE, 6 ans, s'approche de Zac
avec une Barbie dans les mains.

                         MICHELLE
          On va-tu jouer, Zac?

Un temps pendant lequel Gervais observe son fils.

                         ZACHARY
                    (sans hésiter)
          Non.

Tout sourire, Gervais se remet à frotter sa voiture. Zac continue bêtement d'arroser le pavé sans se préoccuper de Michelle qui rebrousse chemin.

Gervais tend la main. Tel un assistant bien entraîné, Zac lui remet le tuyau. Gervais arrose sa voiture en improvisant quelques pas de danse rigolos.

Le petit regarde son père avec admiration.

Gervais prend une dernière bouffée de sa cigarette et lance son mégot d'une très «cool» pichenette. Puis il prend Zac d'un seul bras et le fait tourner en accompagnant Patsy Cline dans son refrain: «*I'm back where I belong, back in baby's arms...*»

PDV de Zac sur les VOISINS RONDOUILLARDS.

> NARRATEUR (V.O.)
> Contrairement aux pères de mes amis qui étaient tous banals et sans intérêt, le mien était le meilleur au monde.

> ZACHARY (H.C.)
> Il change de char à tous les ans.

13   <u>EXT. JOUR – COUR D'ÉCOLE (1967)</u>   13

Zac est entouré d'une dizaine de GAMINS de son âge qui sont rivés à ses lèvres.

> ZACHARY
> Y'a toute la collection des disques de Patsy Cline, de Buddy Rich pis d'Aznavour. Y'a déjà battu le Grand Antonio au tir aux poignets. Pis y'a déjà tiré de la mitraillette quand qu'y était dans l'armée...

On entend une voiture klaxonner. Les gamins se ruent sur la clôture pour regarder la rutilante Chrysler de Gervais qui s'arrête devant l'école.

Gervais sort de la voiture habillé en travailleur de la construction avec chapeau, bottes et un ruban à mesurer à la ceinture. Des verres miroirs et une cigarette au bec lui donnent un semblant d'air de star.

Gervais s'immobilise devant sa voiture. Il se mouille le bout de l'index et promène son doigt dans les airs en jetant un regard en direction des enfants qui épient chacun de ses mouvements. Il amène rapidement sa cigarette à sa bouche, tire une bouffée et propulse un superbe rond de fumée qui vole dans la direction du vent à une vitesse et à une distance incroyables.

Les gamins se mettent aussitôt à crier leur admiration.

Zac se jette dans les bras de Gervais. Le père et le fils savourent fièrement ce précieux moment de gloire et de bonheur, alors que la voix d'Aznavour se met à chanter...

14 <u>INT./EXT. JOUR – CHRYSLER EN MOUVEMENT (1967)</u>   14

Un paysage de campagne défile à toute vitesse.

Zac savoure le vent qui souffle sur son visage. Il a la tête et les bras sortis par la fenêtre, côté passager, et fait battre des papiers-mouchoirs au vent. Nous sommes bien dans les années 1960 à l'époque où les ceintures de sécurité n'étaient que parures. Gervais conduit sa voiture en accompagnant à vive voix son chanteur préféré: «*Emmenez-moi au bout de la terre*». Il connaît la chanson par cœur jusqu'aux moindres respirations. Zac regarde le soleil qui perce à travers les arbres, heureux.

15 <u>EXT. JOUR – ROULOTTE À PATATES (1967)</u>   15

La chanson d'Aznavour se poursuit, plein volume.

Gervais et Zac dégustent une frite, assis sur une table à pique-nique devant une vieille roulotte transformée en casse-croûte. Un magnifique coucher de soleil empreint le tableau d'un agréable sentiment de nostalgie.

>   NARRATEUR (V.O.)
>   Nos petits détours secrets chez «Norman
>   le roi de la patate» me rendaient heureux
>   au plus haut point : pendant quelques
>   minutes, j'étais son préféré.

Zac jette son sac de frites vide dans une poubelle en métal sur laquelle il dépose un couvercle. Le petit s'amuse alors à jouer de la batterie avec ses mains.

Gervais cesse de mâcher, impressionné par le talent de Zac.

16   INT. JOUR - SALON - BUNGALOW BEAULIEU (1967)   16

Christian l'intello, 16 ans, Raymond le voyou, 14 ans, et Antoine le sportif, 13 ans, sont avachis sur les divans et fauteuils du salon à regarder le téléviseur. Zac et Gervais entrent dans la maison avec de grosses chiques de gomme à la bouche.

                    ANTOINE
          Vous n'avez pas ramené?

                    ZACHARY
          De quoi?

                    RAYMOND
          Des patates, sans dessein! Ça sent à
          douze milles à 'ronde.

                    GERVAIS
               (jouant l'innocent)
          On n'a pas mangé de patates, nous autres.
                    (à Zac)
          Hein?

Zac acquiesce d'un sourire qui les trahit. Gervais lance un clin d'œil complice à ses trois plus vieux et disparaît dans la cuisine. Zac regarde ses frères d'un air vaniteux en prenant un malin plaisir à mâcher bruyamment sa gomme.

PDV de Zac sur ses frères qui, toujours avachis, donnent un tableau peu reluisant de la famille.

                    NARRATEUR (V.O.)
          Mes frères étaient, pour moi, trois
          abrutis, en commençant par Christian,
          l'intello...

Christian retourne à la lecture d'une boîte de biscuits secs.

                    NARRATEUR (V.O.)
          ... avec sa manie de lire sans arrêt
          n'importe quoi, n'importe quand,
          n'importe où.

Assis près de Christian, Antoine se ronge les ongles et crache devant lui les petits bouts qu'il réussit à s'enlever.

> NARRATEUR (V.O.)
> ... Antoine, le sportif... une bombe puante ambulante.

Antoine lâche un pet, ce qui lui vaut sans tarder un coussin à la figure.

> ANTOINE
> (à Raymond)
> Qu'est-ce tu veux, toi?

Assis à l'écart, Raymond prend la dernière bouchée d'une toast aplatie et s'allume aussitôt une cigarette qu'il tient à la manière de Gervais. Il est toujours plus beau garçon que les autres et dégage toujours plus de confiance et d'insolence.

> NARRATEUR (V.O.)
> Et Raymond... mon ennemi juré...

Zac mord dans sa gomme en regardant Raymond d'un œil sévère.

> RAYMOND
> (à Zac)
> Fais de l'air, le pisseux!

Zac affronte le regard de Raymond sans broncher.

> ZACHARY
> P'pa! Raymond m'a traité de pissou.

> RAYMOND
> Pas de pissou, de pisseux!

Gervais apparaît aussitôt dans le salon.

> GERVAIS
> (à Zachary)
> Dans 'cuisine.

Zac s'éloigne lentement...

> NARRATEUR (V.O.)
> Je pouvais comprendre qu'il soit fier de Christian...

FLASH: Christian brandit un diplôme sur une scène.

> NARRATEUR (V.O.)
> ... ou d'Antoine...

FLASH: Antoine brandit un trophée sur une patinoire.

> NARRATEUR (V.O.)
> ... mais de Raymond...

FLASH: Raymond brandit le majeur et défonce le mur du sous-sol.

Zac continue de s'éloigner en épiant Gervais et Raymond qui se livrent un duel de regards. On sonne à la porte. Raymond se lève d'un bond. Gervais se presse d'arriver avant lui. Il ouvre. Deux belles ADOLESCENTES lui arrachent un sourire. Raymond passe devant son père et sort.

> GERVAIS
> Tu me présentes pas?

17   CUISINE - BUNGALOW BEAULIEU - SUITE   17

Déçu, Zac se retourne et s'approche de sa mère qui fait cuire des tranches de pain blanc sur le comptoir à l'aide d'un vieux fer à repasser. Zac lui caresse tendrement le ventre.

> ZACHARY
> Bonjour mon beau bébé.

Laurianne dépose son fer, touchée par l'attention de Zac.

Zac se colle la joue contre le gros ventre de sa mère.

> NARRATEUR (V.O.)
> Après neuf mois de prières...

18   MONTAGE SÉQUENCE À VOL D'OISEAU - FLASHBACK (1967)   18

RUE: Zac marche sur le trottoir d'un pas étrange. Après quelques enjambées, on comprend qu'il évite de marcher sur les fissures de trottoir.

> NARRATEUR (V.O.)
> ... et d'épreuves surhumaines...

TOILETTE: Zac est dans la baignoire, submergé d'eau, les yeux grands ouverts. Ses petits doigts comptent les secondes.

                    NARRATEUR (V.O.)
          Le bon Dieu allait enfin me donner une...

                    GEORGES (H.C.)
          Un autre gars?

Zac sort de l'eau en panique, à bout de souffle.

19   INT. JOUR – SALON – BUNGALOW BEAULIEU (1967)   19

Gervais, Christian, Raymond, Antoine et quelques VISITEURS dont GEORGES, le beau-frère, entourent le divan sur lequel se trouve Laurianne qui cajole son nouveau-né, YVAN (2 semaines). Le petit est déjà très costaud.

                    GEORGES
          Quelle sorte de mine que t'as dans le
          crayon, Beaulieu?

À l'écart, à travers des fleurs, Zac regarde son père puis son nouveau frère, découragé.

Gervais plante un cigare à la bouche de Georges.

                    GERVAIS
          Qu'est-ce tu veux j'te dise, j'ai un
          surplus d'hormones mâles, c'est pas de ma
          faute!

Tous rient.

                    GEORGES
          Ça rien à voir. Faut que tu changes de
          position de temps en temps!

De nouveaux rires. Georges reçoit une tape de sa femme, Diane, qui désigne les enfants du regard.

Les adultes poursuivent leur conversation, tandis que Zac évite le regard de sa mère.

                    LAURIANNE
          Viens voir, Zac! Il te ressemble.

Zac s'approche, récalcitrant. Laurianne dépose le bébé dans ses bras. Un temps.

> LAURIANNE
> (chuchotant)
> L'aimes-tu ma surprise?

Zac ne comprend pas. Il sourit timidement, déçu. Laurianne lui fait un clin d'œil, comme si elle avait une idée derrière la tête.

20   EXT. JOUR – ENTRÉE DE GARAGE – BUNGALOW BEAULIEU (1967)   20

Bébé Yvan, 3 mois, est dans un landau en mouvement.

Laurianne sort de l'entrée de garage en poussant le landau. Zac la suit de près. Ils envoient la main à Gervais qui les regarde s'éloigner du perron.

Après avoir tourné le coin de la rue, Laurianne cède le landau à son fils. Zac jubile et sourit fièrement aux PASSANTS parmi lesquels se trouvent la petite voisine, Michelle, et sa MÈRE.

Un CHŒUR D'ENFANTS entame un hymne de Noël.

21   INT. NUIT – ÉGLISE (1967)   21

Fidèle à son poste, la famille Beaulieu écoute un CHŒUR D'ENFANTS parmi lequel on reconnaît Antoine le sportif, 13 ans, qui aimerait bien être ailleurs.

Bébé Yvan, 9 mois, pleure à chaudes larmes dans les bras de sa mère qui cherche quelque chose dans les poches de son manteau. Gervais s'impatiente du regard. Le vieux prêtre aussi. Laurianne met le bébé dans les bras de Zac. Il cesse aussitôt de pleurer.

Laurianne sort une sucette de son manteau et regarde Zac d'un œil intrigué.

22   INT. NUIT – SALON – MAISON DES GRANDS-PARENTS (1967)   22

Des FLASHES D'APPAREILS PHOTO éclatent de partout. Zac pose devant une batterie pour enfant, des baguettes de batteur dans les mains, un sourire forcé aux lèvres. FLASH.

23 <u>INT. NUIT - SALON - MAISON DES GRANDS-PARENTS (1967)</u>   23

Laurianne est assise dans un fauteuil avec son grand Zac
de 7 ans dans les bras, étendu sur elle, immobile, avec
des baguettes de batteur dans les mains. Seul le gamin
fait fi du spectacle que tous regardent avec des airs
amusés : micro à la main, Gervais offre son imitation
d'Aznavour, accompagné par la musique du disque de son
idole dont il enterre la voix. Il se prend très au
sérieux.

Par-dessus l'épaule de Laurianne, les yeux fatigués de
Zac observent la petite Brigitte et une autre cousine
qui s'amusent avec leurs jouets tout près d'une batterie
pour enfant, tandis qu'on entend Gervais chanter : « *Il
semble que la misère serait moins pénible au soleil.* »

Zac ferme les yeux et se blottit contre sa mère.

24 <u>INT./EXT. NUIT - CHRYSLER - MAISON DES GRANDS-PARENTS (1967)</u>   24

Les Beaulieu sont entassés dans la voiture familiale,
emmitouflés jusqu'aux oreilles dans leurs vêtements
d'hiver usés et rapiécés. Les trois aînés dorment sur la
banquette arrière, Bébé Yvan dort dans les bras de Zac
qui, lui, est assis à côté de Laurianne sur la banquette
avant. Gervais prend place derrière le volant et démarre
la voiture. Un temps pendant lequel Laurianne observe
Zac dormir.

                    LAURIANNE
          J'te le dis, y'a un don, j'suis sûre. Il
          lui arrête ses coliques aussitôt qu'on
          lui met dans les bras.

Gervais regarde sa femme, sceptique, puis s'allume une
cigarette en gardant le silence.

                    LAURIANNE
          J'vas aller voir Madame Chose, là, qui
          vend du Tupperware. Elle en a, elle,
          des dons. Elle arrête les brûlures, le
          sang pis toute. Elle va nous le dire si
          y'en a.

Gervais hoche la tête, amusé.

GERVAIS
T'as vu comment il joue du drum? Y'a la
musique dans le sang, c't'enfant-là,
c'est ça son don. Il retient de son père.

Gervais perd son sourire lorsqu'Antoine lâche un pet.

25   INT./EXT. JOUR - SALON - BUNGALOW BEAULIEU (1967)   25

Coiffé d'un chapeau de construction trop grand pour sa
tête, Zac salue son père de la main à travers la fenêtre
du salon.

La voiture de Gervais s'éloigne dans la tempête.

26   CHAMBRE DES PARENTS - BUNGALOW BEAULIEU - SUITE   26

Bébé Yvan est couché sur le lit des parents, les yeux
ronds. Il regarde en direction de...

... Zac qui fait son entrée. Il se défait du chapeau de
construction, et enfile le peignoir et les pantoufles de
sa mère. Il prend bébé Yvan et s'amuse à le cajoler.

Sur ces entrefaites, Gervais entre et prend son porte-
feuille laissé sur la commode. Puis il fige lorsqu'il
voit Zac. Le gamin sourit naïvement à son père couvert
de neige.

Gervais regarde son fils avec des yeux atterrés,
effrayés.

NARRATEUR (V.O.)
Je me souviens encore de la neige qui
fondait lentement sur son visage. Je
venais d'avoir 7 ans et, sans le vouloir,
de lui déclarer la guerre.

Une lumière blanche aveuglante apparaît. Le soufflement
que l'on connaît revient, mais accompagné d'un
grondement sourd. La transition est étrange.

27   INT./EXT. JOUR - CHRYSLER EN MOUVEMENT (1968)   27

La lumière blanche est celle d'un ciel couvert, le
grondement, celui d'un moteur de voiture en mouvement.

Zac a la tête à l'extérieur et fait battre des papiers-mouchoirs au vent. Au bout d'un moment, il les laisse s'envoler.

> GERVAIS (H.C.)
> Es-tu fou, câlic?!

Zac sursaute. Assis derrière le volant, Gervais fait une manœuvre nerveuse pour amener la voiture sur la voie d'accotement.

> GERVAIS
> Envoye, ferme-moi ça, c'te fenêtre-là,
> innocent! C'est rendu qu'il faut qu'on
> t'attache!

Gervais saisit la ceinture du petit, la boucle et redémarre.

Après quelques secondes, Zac jette un regard sévère sur Gervais, alors que la voix de son père se fait entendre en écho.

> GERVAIS (V.O.)
> Pense avec ta tête, sans dessein! Arrête
> de saper, cochon! Fais pas ta feluette...

Zac regarde à l'extérieur avec de petits yeux tristes et confus. Un temps pendant lequel on s'approche de Zac qui serre les dents de plus en plus fort. On entend soudainement la voix de Gervais qui échappe un cri de mort.

> GERVAIS (H.C.)
> Qui c'est qui a fait ça?

COUP DE TONNERRE.

28   <u>INT. JOUR – SALON – BUNGALOW BEAULIEU (1968)</u>   28

Christian, Raymond, Antoine et Zachary sont assis côte à côte sur le divan devant Gervais qui brandit devant eux un disque de Patsy Cline brisé en deux. On entend la pluie qui tombe à l'extérieur.

> GERVAIS
> Onze piasses! Un disque... de collection.
> Importé.

Un temps.

                    GERVAIS
        Vous allez me le payer chacun votre tour
        si le coupable se montre pas. Vous allez
        apprendre à assumer ce que vous faites,
        Christ.

                    LAURIANNE
        Gervais.

Les garçons sont figés. Assise à l'écart, Laurianne
berce le petit Yvan en faisant comprendre à Gervais,
d'un regard, de se calmer. Les trois frères aînés se
regardent puis se tournent vers Zac.

                    ZACHARY
        C'est pas moi.

Zac constate que tous ont les yeux rivés sur lui, même
le Christ encadré au mur. Puis il flanche.

                    ZACHARY
        C'est un accident.

Gervais regarde Laurianne d'un air sévère puis se tourne
vers ses trois plus vieux.

                    GERVAIS
        Vous autres, faites de l'air.

Christian, Raymond et Antoine disparaissent dans leur
chambre.

                    GERVAIS
        Non seulement tu vas payer pour le
        disque, mais tu vas payer aussi pour tes
        menteries. J'vas t'apprendre, moi, tu vas
        voir. Va dans ta chambre, là.

Zac prend docilement la direction de sa chambre.

Gervais baisse des yeux découragés sur son disque brisé.

29 INT. JOUR - CHAMBRE DES PARENTS - BUNGALOW BEAULIEU (1968)   29

Gervais est couché dans son lit, pensif. Il pleut
toujours. Laurianne se glisse sous les couvertures et
éteint.

> LAURIANNE
>
> Bonne nuit!

Gervais ne répond pas. Puis, après quelques secondes...

> GERVAIS
>
> Veux-tu ben me dire qu'est-ce que tu y as faite?

Laurianne ne comprend rien à la question.

> GERVAIS
>
> Zac! Y'est pus pareil. Il braille pour rien, il s'habille en fille, c'est pas normal!

> LAURIANNE
>
> Reviens-en! C'est toi qui es pas normal! C'est un enfant! Laisse-le donc! Qu'est-ce que j'y ai faite, pfff.

> GERVAIS
>
> Les autres étaient pas de même!

> LAURIANNE
>
> Y'en a pas un de pareil. Zac est plus doux, c'est toute. Plus sensible.

> GERVAIS
>
> Pas plus doux, plus mou.

30   <u>CHAMBRE DE ZAC & ANTOINE - BUNGALOW BEAULIEU - SUITE</u>   30

Couché dans son lit jumeau, toujours au-dessous d'Antoine, Zac regarde longuement un petit crucifix en plastique accroché au mur. La foi des Beaulieu n'est définitivement pas proportionnelle à la qualité de leurs crucifix.

> ZACHARY
>
> (chuchotant)
>
> Mon Dieu, faites que je sois pas mou...

Long silence. Zac ferme les yeux comme pour donner plus de force à ses prières.

> ZACHARY
>
> Pis que mon père redevienne comme avant.

Zac sursaute lorsqu'un coussin tombe du ciel pour le frapper à la figure.

> ANTOINE
>
> Ta yeule !

On s'approche lentement de Zac qui a des yeux inquiets. NOIR.

31   MONTAGE SÉQUENCE – RÊVE (1968)   31

SOUS-SOL : un DISQUE VINYLE reflète l'image de Zac. Le gamin serre les dents et brise le disque. Crac !

ÉGLISE : on fonce sur une cabine de confession. Zac est à genoux à l'intérieur de la cabine, vêtu de son pyjama.

> ZACHARY
>
> J'ai fait exprès.

À travers le grillage de confession, une neige fine tombe doucement sur un PRÊTRE qui se tourne vers Zac avec des yeux méprisants. On reconnaît Raymond.

> RAYMOND
>
> J'vas le dire à P'pa, p'tit pisseux.

Zac regarde soudainement entre ses jambes.

32   INT. NUIT – CHAMBRE DE ZAC & ANTOINE – BUNGALOW BEAULIEU   32
      (1968)

Zac se réveille et se redresse. Il reste là, sans bouger, les yeux fermés, à respirer difficilement. Comme s'il s'agissait d'un automatisme, il sort de son lit et quitte sa chambre tandis qu'Antoine pète dans son sommeil.

33   CHAMBRE DE ZAC & ANTOINE – BUNGALOW BEAULIEU – PLUS TARD   33

Zac réapparaît avec sa mère. Malgré l'odeur qui la dérange, Laurianne continue de retirer le drap mouillé du lit de Zac. Elle passe un linge sec sur le matelas recouvert d'un plastique et replace un nouveau drap.

Vêtu d'un nouveau pyjama, Zac monte dans son lit et se glisse sous les couvertures fraîches.

                         ZACHARY
                      (chuchotant)
          Quand est-ce que j'vas arrêter de
          mouiller mon lit? Ça fait longtemps que
          j'Y demande.

                        LAURIANNE
                      (chuchotant)
          Fais-toi-z-en pas avec ça, c'est pas
          grave. T'es pas tout seul de même. Un
          moment donné, ça passe. Continue de
          prier, tu vas voir, le p'tit Jésus
          t'oubliera pas. Surtout pas toi. Vous
          êtes nés le même jour.

Zac ne semble pas convaincu. Laurianne l'embrasse et
s'éloigne.

34   EXT. JOUR – ENTRÉE DE GARAGE – BUNGALOW BEAULIEU (1968)   34

Le vent souffle sur les draps de Zac accrochés sur la
corde à linge qui traverse la cour arrière. Des couches
de coton pour bébé sont aussi suspendues à la corde.

Laurianne sort de la cour en poussant le landau d'Yvan.
Zac la suit de près en jetant de nombreux coups d'œil
inquiets derrière lui.

Son PDV: entre les draps qui volent au vent, Gervais le
regarde s'éloigner d'un œil méfiant.

35   EXT. JOUR – MAISON DE MADAME CHOSE (1968)   35

La maison de MADAME CHOSE est entourée d'une lumière
éblouissante provoquée par un soleil de fin de journée.

Zac aide sa mère à pousser le landau en direction de
cette maison inconnue qu'il regarde d'un air amusé et
intrigué. Et à raison: son recouvrement en brique est
peint d'un vert éclatant.

                         ZACHARY
          Où c'est qu'on va?

36   INT. JOUR - MAISON DE MADAME CHOSE (1968)   36

EXTRÊME GROS PLAN d'une photo d'un magnifique désert
dans lequel des traces de pas solitaires fuient vers
l'infini. Il s'agit là du PDV de...

... Zac qui se laisse sagement examiner la tête par une
femme d'une cinquantaine d'années, MADAME CHOSE, qui est
assise devant lui au milieu d'une petite pièce étroite
dans laquelle sont empilés des centaines de contenants
et produits Tupperware.

Zac délaisse la photo du désert pour regarder sa mère
qui, assise à l'écart, observe avec émerveillement des
photographies de Madame Chose en pèlerinage en Terre
Sainte ainsi qu'une collection imposante d'illustrations
de la vie du Christ qui tapissent les murs.

Madame Chose aperçoit la mèche de cheveux décolorés que
Zac porte près de la nuque. Elle se tourne vers
Laurianne en prenant un air solennel et en acquiesçant
d'un signe de tête. Elle revient à Zac et se met à
parler lentement dans un chuchotement tout à fait
unique. Ne serait-ce de la paix et de la sérénité
qu'elle inspire, on la croirait sortie tout droit d'un
film d'horreur.

                    MADAME CHOSE
          Essaye de faire confiance à ce que tu
          ressens. T'es ben intuitif. T'es capable
          de sentir des affaires que les autres
          sentent pas. Faut pas en avoir peur.
                    (à Laurianne)
          C'est des dons du ciel qu'il a reçus là,
          madame Beaulieu. Le bon Dieu l'a
          choisi... parce qu'Il savait... qu'y
          était faite assez fort... pour ce qu'Il
          attend de lui.

Madame Chose sort son plus beau sourire et caresse les
cheveux de Zac.

                    MADAME CHOSE
          Donnez-y le temps de grandir un peu. Qu'y
          comprenne mieux. C'est un beau garçon que
          vous avez, là. Il va aller loin.

Laurianne regarde son fils, prête à verser une larme.

37 <u>EXT. JOUR - ENTRÉE DE GARAGE - BUNGALOW BEAULIEU (1968)</u> 37

Zac et Laurianne reviennent à la maison. La petite
Michelle et sa mère envoient la main de la maison
voisine. Seul Zac répond, car Laurianne est encore sous
le choc de l'émotion. La pupille brillante, elle pousse
le landau d'Yvan vers la maison, perdue dans des pensées
que l'on devine heureuses.

> NARRATEUR (V.O.)
> Contrairement aux mères de mes amis qui
> rêvaient toutes de banals lave-vaisselle,
> la mienne rêvait simplement de marcher
> sur les pas du Christ.

> GERVAIS (H.C.)
> Christ... mas, que j'suis fatigué!

38 <u>INT. JOUR - SALON - BUNGALOW BEAULIEU (1968)</u> 38

Gervais entre dans la maison, l'air épuisé. Il ferme la
porte et retire ses bottes de construction. Laurianne
s'amène suivie de Zac.

> LAURIANNE
> J'ai des p'tites nouvelles pour toi. Ton
> gars... a des dons.

Un temps.

> LAURIANNE
> Les septièmes d'une même famille du même
> sexe ont des dons. Si tu comptes mes
> trois fausses couches, Zac est le
> septième.

Laurianne est fière d'elle. Gervais se demande où sa
femme est allée chercher pareille sottise.

> GERVAIS
> Qui te dit que les fausses couches,
> c'était des gars?

> LAURIANNE
> Ça devait ben être des gars, c'est rien
> que ça que tu sais faire! On savait qu'il

avait le don des coliques... pis y'en a
d'autres, là. Les personnes qui ont des
dons peuvent les transmettre à d'autres
s'ils sont pas du même sexe pis du même
sang. Madame Chose lui a toute transmis
les siens.

                    GERVAIS
Ah Seigneur! Combien de Tupperwares
qu'elle t'a vendus avec ça?

Laurianne est mal à l'aise.

                    LAURIANNE
Elle m'en a pas vendu. J'veux dire, elle
a pas essayé de m'en vendre. J'en ai
achetés, c'est pas pareil. C'est pas des
jokes, là, y'a vraiment des dons.

Gervais s'écrase dans un fauteuil.

                    GERVAIS
                    (à Zac)
As-tu le don d'enlever le mal de tête?

Zac regarde sa mère ne sachant quoi répondre. Laurianne
hoche la tête, découragée de l'attitude de Gervais. Elle
fait un signe discret à Zac. Le gamin tend alors à son
père un sac qui a la forme d'un disque. Gervais regarde
sa femme d'un air sévère.

                    GERVAIS
Que c'est ça?

                    LAURIANNE
Regarde.

                    GERVAIS
Tu lui éviteras pas «tu sais quoi» si
c'est ça que t'essaies de faire.

Laurianne est mal à l'aise. Gervais prend le sac et en
sort un disque emballé.

                    GERVAIS
C'est pas ma fête, à ce que je sache.

Gervais déchire le papier. Un malaise s'installe.
Gervais regarde sa femme, déçu.

> LAURIANNE
> Y'est pas trouvable ton disque, ça fait
> qu'on en a acheté un autre. C'est pareil,
> y'a les mêmes chansons dessus.

> GERVAIS
> J'le sais, je l'ai déjà, celui-là.

Houp! Laurianne et Zac s'échangent un regard confus.

> GERVAIS
> Le son est pas pareil. Un disque de
> collection importé, c'est pas pareil.

Long silence. Tous regardent le disque.

> LAURIANNE
> Ben, c'est l'intention qui compte. On va
> aller l'échanger ou on va se faire
> rembourser, c'est toute.

Frustrée, Laurianne retourne à sa cuisine.

Zac veut la suivre mais Gervais l'arrête. Le père et le
fils se fixent droit dans les yeux.

> GERVAIS
> Des dons! Qu'est-ce tu penses de ça,
> toi?

Zac ne sait pas quoi répondre.

> GERVAIS
> Qu'est-ce qu'elle t'a dit, Madame Chose?

> ZACHARY
> J'ai pas le droit de le dire, qu'elle
> dit. Mais elle a dit à M'man que si le
> bon Dieu m'avait donné des dons, qu'il
> fallait que je m'en serve, que je pouvais
> aider ben du monde, pis en sauver même.

Gervais commence à s'attendrir. Après de longues
secondes, il tend la main à son fils. Le gamin dépose sa
petite main dans celle de son père.

> GERVAIS
> Avant de sauver le monde, là, tu vas me
> remettre mes onze piasses. Tu sais ce que
> ça veut dire, ça? Papa va te faire

> travailler... à cinq cennes par jour. Si
> tu travailles chaque jour, ça va te faire
> 25 cennes par semaine. C'est ben payé
> pour ton âge, cré-moi. Vingt-cinq cennes
> par semaine, ça veut dire une piasse par
> mois, après onze mois, on va être quitte.

Zac reste bouche bée.

                    GERVAIS
> Va aider ta mère à mettre la table. Tu
> viens de faire ton premier cinq cennes.

Gervais l'envoie dans la cuisine avec une petite tape
sur les fesses. Puis il aperçoit un tas de vieux
National Geographic éparpillés en désordre sur la table
basse du salon.

                    GERVAIS
> Qui c'est qui a toute sorti mes *National*?

Gervais comprend lorsqu'il voit un des numéros titré
«Terre Sainte».

39   INT. JOUR - CUISINE - BUNGALOW BEAULIEU (1968)   39

La famille est réunie autour de la table. Tous mangent
avec appétit dans un brouhaha général à l'exception de
Laurianne qui parle au téléphone, debout à l'écart, en
terminant la cuisson d'une toast à l'aide de son fer à
repasser. *White Rabbit* de Jefferson Airplane joue à tue-
tête dans une autre pièce et ne fait qu'accentuer l'état
de folie qui règne autour de la table.

Zac prend une gorgée de son verre de lait en observant
sa mère du coin de l'œil.

                    LAURIANNE
                  (au combiné)
> Dis-y qu'il pense à lui, là. C'est ça,
> bye.

Laurianne raccroche et se rassoit en donnant une toast
au fer à repasser à Raymond.

                    LAURIANNE
                    (à Zac)
> Pense à mononcle Lucien. Il vient de se
> couper en mangeant son steak.

Gervais laisse tomber ses bras sur la table.

> GERVAIS
> Ils vont-tu se mettre à appeler icitte à chaque p'tit bobo?

Raymond retient un fou rire.

> GERVAIS
> Toi, vas baisser ta musique.

Raymond continue de manger comme si Gervais n'avait rien dit.

Zac croise le regard complice de sa mère. Hésitant, il se met à remuer les lèvres, l'air incrédule.

> NARRATEUR (V.O.)
> Tout ce que j'avais à faire était de prononcer en silence les petites prières secrètes que Madame Chose m'avait confiées qui consistaient, non pas à demander, mais à ordonner à Dieu de procéder à la guérison.

> MADAME CHOSE (H.C.)
> Oublie pas, tu peux pas te servir de tes dons dans un but personnel ou pour faire mal aux autres.

Zac continue son incantation en foudroyant du regard ses frères qui se bidonnent.

> NARRATEUR (V.O.)
> Dommage !

> GERVAIS
> Que c'est qu'y dit, là?

> LAURIANNE
> Y'a pas le droit de le dire, veux-tu arrêter.

L'attention de Gervais se porte sur Antoine, 14 ans, qui rit en se curant le nez. Le père tape son garçon derrière la tête.

                    GERVAIS
À partir de tout de suite, ça va te
coûter 10 cennes à chaque fois que tu te
mets le doigt dans le nez.

                  CHRISTIAN
                  (à Gervais)
Tu vas te mettre riche.

Christian, 17 ans, s'occupe à lire l'étiquette d'une
bouteille de ketchup. Gervais lui arrache la bouteille
des mains.

                    GERVAIS
Tu dois commencer à le savoir avec quoi
c'est faite du ketchup. Ça fait une demi-
heure que t'a lis la maudite bouteille.

Le téléphone sonne. Gervais commence à en avoir ras le
bol. Zac cesse son incantation et regarde sa mère qui
répond.

                  LAURIANNE
Oui?

                    GERVAIS
                (pour lui-même)
Un autre fatigant qui vient de se couper
en se rasant.

                  LAURIANNE
                (au combiné)
Bon! J'vas lui dire. C'est ça. Bye.

Elle raccroche et se rassoit.

                  LAURIANNE
Mononcle Lucien a arrêté de saigner.

Tous s'immobilisent, surpris. Zac et Laurianne échangent
un sourire triomphant, alors que Raymond s'esclaffe de
rire.

Le téléphone sonne à nouveau. Gervais bondit
d'impatience et saute sur le combiné.

                    GERVAIS
Allô! Oui.

Pause pendant laquelle Gervais écoute en se bouchant
l'autre oreille. Un temps.

> GERVAIS
> Ah ben, câline.

Gervais regarde Zac et Laurianne en souriant.

> GERVAIS
> Parfait. Il va être ben content. Merci,
> là.

Gervais raccroche, se rassoit et regarde Zac avec un air
mystérieux.

> CHRISTIAN
> Qu'est-ce qu'y a?

> GERVAIS
> (désignant Zachary)
> Votre frère, le chanceux! Il s'en va dans
> un camp de vacances, cet été.

Zac fige et regarde sa mère. Sa respiration s'agite. Il
semble manquer de souffle. Antoine regarde son père d'un
air insulté.

> ANTOINE
> Je voulais y aller, moi, à son âge, pis
> je pouvais pas?

> GERVAIS
> T'as eu autre chose, toi, plains-toi pas.

Christian regarde Zac avec compassion, tandis que
Raymond, 15 ans, l'observe avec un sourire moqueur.

> LAURIANNE
> On n'a jamais envoyé les autres dans les
> camps de vacances.

Gervais lance un regard glacial à sa femme.

> CHRISTIAN
> Il va coucher là-bas?

> GERVAIS
> Ben oui. Il va se faire plein d'amis pis
> il va avoir du fun. C'est une belle

expérience qu'il va vivre là. Il va s'en
souvenir toute sa vie.

                    ZACHARY
        J'veux pas y aller!

                    GERVAIS
        Ben voyons donc.

                    ZACHARY
        J'veux pas y aller!

Un temps. Soudainement, Zac explose de colère.

                    ZACHARY
        J'veux pas y aller.

Gervais regarde son fils avec un calme dérangeant,
tandis que Laurianne joue nerveusement avec la petite
chaîne en or qu'elle porte autour du cou au bout de
laquelle se trouve une croix.

40   INT. NUIT – DORTOIR – CAMP DE VACANCES (1968)   40

Zac est couché dans un lit, les yeux grands ouverts.
C'est à son tour de jouer nerveusement avec la petite
croix en or de Laurianne qu'il porte à son cou.

                    ZACHARY (V.O.)
        Mon Dieu, s'il vous plaît, faites que ça
        arrive pas.

Coup de tonnerre lointain. Des éclairs sporadiques
illuminent un immense dortoir dans lequel une
quarantaine d'ENFANTS dorment dans des lits superposés
étalés en rangées.

41   INT. NUIT – CHAMBRE DES PARENTS – BUNGALOW BEAULIEU (1968)   41

Laurianne est allongée dans son lit, absorbée par une
pensée. Gervais dort, dos à elle.

                    LAURIANNE
        Gervais?

                    GERVAIS
        Dors.

Laurianne n'a pas du tout sommeil.

Son PDV: un réveille-matin dont les aiguilles se mettent
à bouger rapidement.

42 <u>DORTOIR - CAMP DE VACANCES - PLUS TARD</u>   42

Tous les enfants dorment paisiblement, y compris Zac. On
s'approche lentement de son lit, trop lentement, comme
si quelque chose était sur le point de se passer. Puis,
tout à coup, on entend la pluie qui se met à tomber
comme des clous.

43 <u>INT. NUIT - CHAMBRE DES PARENTS - BUNGALOW BEAULIEU (1968)</u>   43

Laurianne se réveille brusquement en affichant un air
inquiet. Elle regarde la pluie qui coule sur la fenêtre
de sa chambre.

44 <u>DORTOIR - CAMP DE VACANCES</u>   44

Zac se réveille à son tour. Il soulève les couvertures
de son lit et affiche un air paniqué.

45 <u>CHAMBRE DES PARENTS - BUNGALOW BEAULIEU</u>   45

Laurianne sort de son lit et fait les cent pas tandis
que Gervais dort. Soudain, elle s'arrête, se concentre
sur sa respiration, inspire profondément et souffle
l'air de ses poumons.

46 <u>DORTOIR - CAMP DE VACANCES</u>   46

Zac se met à souffler désespérément sur ses draps
mouillés au rythme de la respiration de Laurianne. Après
quelques secondes, il ferme les yeux en serrant les
poings. Sa respiration est laborieuse.

                    ZACHARY (V.O.)
          Mon Dieu, vous m'avez fait faire pipi au
          lit, c'est correct, mais là, faites que
          ça paraisse pas. Je manquerai pus jamais
          la messe.

47 <u>CHAMBRE DES PARENTS - BUNGALOW BEAULIEU</u>   47

Laurianne a les yeux fermés et chuchote une prière.

48   <u>DORTOIR – CAMP DE VACANCES</u>   48

Zac soulève le drap de son lit, l'évente et se remet à souffler. Son souffle se transforme en un soufflement étrange.

Plus loin dans le dortoir, un GAMIN se réveille et aperçoit Zac qui sursaute lorsqu'un violent coup de tonnerre éclate.

49   <u>EXT. JOUR – LAC – CAMP DE VACANCES (1968)</u>   49

Zac est en panique sous l'eau d'un lac. Plusieurs MAINS D'ENFANTS l'empêchent de refaire surface. Il réussit à se dégager et à sortir la tête. Il a à peine le temps de reprendre son souffle qu'on le replonge dans l'eau. Sa petite chaîne en or se détache de son cou. Zac tente en vain de la rattraper. Elle tombe lentement vers le fond obscur du lac. Il la regarde tomber tandis que son visage se métamorphose. Zac, 15 ans, est maintenant sous l'eau, à bout de souffle. Il réussit à se dégager à son tour.

50   <u>INT. JOUR – CHAMBRE DE ZAC & YVAN – BUNGALOW BEAULIEU (1975)</u>   50

Zac, 15 ans, se réveille, haletant, au moment même où la guitare de *Shine On You Crazy Diamond* de Pink Floyd explose à plein volume. Il se défait violemment des couvertures et examine les draps sous sa culotte. Tout est sec. Malgré ses cheveux longs et un quelque chose de rebelle, on reconnaît tout de même le visage du petit Zachary.

Dans l'autre coin de la chambre, YVAN, 8 ans, bien potelé, est étendu dans son lit, sous les couvertures, à lire une BD.

Zac saisit un broncho-dilatateur pour asthmatique, appelé communément une pompe, qui traîne sur sa commode devant quelques trophées d'arts martiaux. Il le regarde longuement et aspire une bouffée, tandis qu'à l'extérieur d'épais flocons de neige tombent doucement de façon quasi irréelle. Un TITRE apparaît: NOËL 1975.

51 <u>CHAMBRE DE ZAC & YVAN - BUNGALOW BEAULIEU - PLUS TARD</u>   51

Zac s'exerce en sous-vêtement à faire des «push-ups» à
un rythme d'enfer au son de la musique de Pink Floyd.

Il est maintenant debout devant un long miroir dans
lequel il regarde les mouvements d'arts martiaux qu'il
pratique avec assiduité (avec nunchakus). La
ressemblance avec Raymond le voyou, son frère, est
frappante, non seulement par sa physionomie mais aussi
par ce mélange d'assurance et d'effronterie qu'il
dégage. Le petit Yvan épie son frère derrière sa BD.

Tout à coup, Gervais, 50 ans, entre en peignoir, les
cheveux en broussaille et plus grisonnants. Il baisse le
volume de la musique et hoche la tête lorsqu'il repère
des yeux une cigarette qui brûle dans un cendrier. Il
prend la pompe de Zac laissée sur la commode et la
dépose devant son fils sur le couvercle du tourne-
disque. Puis il sort en claquant la porte.

Zac prend sa cigarette, s'installe devant son
amplificateur, change de disque, remonte le volume et
propulse un rond de fumée en direction de la porte qui
s'ouvre lentement sur un Gervais découragé.

52 <u>INT. NUIT - ÉGLISE (1975)</u>   52

Deux PDV légèrement différents apparaissent et
disparaissent à plusieurs reprises nous laissant voir
des cierges qui brûlent. Leurs flammes dansent au rythme
de *Sympathy for the Devil* des Rolling Stones.

Il s'agit là du PDV de Zac qui s'amuse à fermer et à
ouvrir l'œil droit puis le gauche.

Assis à ses côtés sur un banc au milieu de l'église,
CHRISTIAN l'intello, 24 ans, s'occupe à lire un feuillet
paroissial. Sa compagne, CORINNE, aux petits airs
bourgeois, lui tient la main. ANTOINE le sportif, 21
ans, se cure les oreilles. Raymond le voyou est absent.
Laurianne et Gervais regardent fièrement YVAN, 8 ans,
qui chante dans la CHORALE. Mais seule la musique des
Stones se fait entendre et seul Zac l'entend. Il bouge
la tête à son rythme.

                    NARRATEUR (V.O.)
          Que la messe de minuit était courte et
          agréable en athée que j'étais devenu.

Zac porte un regard condescendant sur une statue du
Christ.

                    NARRATEUR (V.O.)
          J'avais quand même tenu ma promesse.
          Jamais, je n'avais manqué la messe...

Zac affiche un air supérieur.

                    NARRATEUR (V.O.)
          ... de minuit. Une fois par année...

Son regard se pose sur Laurianne...

                    NARRATEUR (V.O.)
          ... ça la rendait heureuse.

... puis sur Gervais.

                    NARRATEUR (V.O.)
          ... ça lui fermait la trappe.

Zac repère une adolescente aux yeux aussi vitreux que
les siens, MICHELLE, 15 ans. Leurs regards complices se
croisent. Zac désigne des yeux un VIEIL HOMME assis
derrière elle. L'adolescente se tourne et étouffe un
rire en voyant l'homme qui cogne des clous, la bouche
grande ouverte.

Un fou rire s'empare de Zac. Gervais ne la trouve pas
drôle. Tous les FIDÈLES se lèvent. Zac les imite. Il
n'ose plus regarder le vieil homme et tourne la tête.

Son regard s'arrête sur une FEMME à la gueule encore
plus étrange: MADAME CHOSE. Elle n'a pas changé. Zac
retient un nouveau rire. Madame Chose fait de drôles de
mouvements avec sa bouche qui lui donnent l'impression
de chanter en synchronisme avec les « *hou hou* » des
Stones. Zac commence à l'imiter, silencieusement, et se
tourne vers Michelle.

Après quelques secondes, l'adolescente entre en osmose
avec Zac. Elle aussi entonne maintenant les « *hou hou* ».

Zac sourit et regarde le CHŒUR D'ENFANTS qui, à son
tour, l'accompagne dans la « symphonie du diable ».

Voilà que le vieux prêtre se met de la partie, puis les FIDÈLES.

Le corps de Zac entre soudainement en lévitation. La FOULE chante de plus belle en contemplant son dieu qui s'élève.

53   INT. NUIT - HALL - MAISON DES GRANDS-PARENTS (1975)   53

Zac atterrit parmi les SIENS, comme un magicien, en continuant de bouger la tête au rythme de la musique des Stones.

Ses TANTES pulpeuses aux robes décolletées le bombardent de FLASHES DE POLAROÏDS et de BAISERS MOUILLÉS... sur la bouche.

GEORGES (H.C.)
T'as pas de blonde encore?

Zac sort de son fantasme lorsque son oncle Georges lui pince la joue. La question, qui exaspérerait tout ado rebelle, le fait pouffer de rire. Zac plane dans un bonheur que Gervais trouve louche. Un FLASH D'APPAREIL PHOTO immortalise le moment.

54   SALON - MAISON DES GRANDS-PARENTS - PLUS TARD   54

Zac déballe un énorme cadeau emballé avec du papier de Noël.

ZACHARY
Beau papier.

Gervais saisit l'ironie et regarde froidement son fils.

NARRATEUR (V.O.)
J'avais beau le répéter à chaque année :

ZACHARY (V.O.)
Pas de papier de Noël pour mes cadeaux de fête, c'est-tu clair?

GERVAIS
C'est pas le papier qui compte.

Zac déchire le papier d'emballage avec un malin plaisir. Les invités échappent un «ho» simultané à la vue du

cadeau. Zac ne peut retenir un rire qui dévoile son
sarcasme.

> NARRATEUR (V.O.)
> Après la batterie, l'accordéon, la
> guitare et le violon...

> ZACHARY
> Un banjo!

Gervais ne sait plus sur quel pied danser. Il éprouve de
la difficulté à lire son garçon.

> GERVAIS
> Tu nous as dit de te surprendre!

Zac examine son banjo avec des yeux amusés. Gervais
profite de la cohue générale pour se justifier auprès de
son voisin, Georges.

> GERVAIS
> On sait pus ce qu'ils veulent, les
> jeunes, aujourd'hui. T'essaies de faire
> plaisir à ça pis...

Gervais est interrompu par un cadeau que l'on glisse
devant lui. Il l'accepte en esquissant un sourire rapide
au donneur, c'est-à-dire, à Zac. Gervais le déballe et
fige. Tous se taisent. Gervais tient dans ses mains un
exemplaire flambant neuf du fameux disque de collection
importé de Patsy Cline. Ému, il ouvre la pochette et
sort le disque... en mille morceaux. Zac sourit
mystérieusement.

> NARRATEUR (V.O.)
> Il y a des fantasmes qu'on prend plaisir
> à entretenir.

> RAYMOND (H.C.)
> Joyeux Noël!

La cohue générale se fait entendre de nouveau. Gervais
est toujours en train de parler à son voisin, sans
disque.

Zac sort de sa rêverie et perd son sourire lorsqu'il
aperçoit son frère RAYMOND, 22 ans, qui fait une entrée
remarquée en compagnie d'une brunette extravagante,
DORIS, 22 ans.

Laurianne cache mal son malaise.

55 <u>CUISINE – MAISON DES GRANDS-PARENTS – PLUS TARD</u>   55

Quinze chandelles brûlent sur un gâteau au chic glaçage turquoise derrière lequel Zac se tient dans la pénombre. La présence de Raymond se fait sentir : la musique de Noël a cédé la place à une musique rock délinquante.

> LAURIANNE
> As-tu fait un vœu?

> RAYMOND
> Oui mais il pourra pas se réaliser, il
> bande pas encore.

Son frère Antoine, la bouche pleine, s'esclaffe de rire. Des morceaux de nourriture mâchée lui sortent de la bouche et du nez. Dégueulasse!

Un petit morceau vole sur les verres en fond de bouteille de l'aîné, Christian, qui, trop engagé dans la lecture de son nouveau dictionnaire, ne s'en rend pas compte. Sa petite amie, Corinne, lui enlève ses lunettes pour les nettoyer.

Zac brandit le «majeur» vers Raymond qu'il dissimule de façon à ce que son père ne le voit pas.

> NARRATEUR (V.O.)
> Mes frères n'avaient pas changé d'un
> poil.

Mais Yvan, 8 ans, lui, a bien vu le geste de Zac.

> NARRATEUR (V.O.)
> Sauf mon beau bébé Yvan.

> YVAN
> P'pa, Zac a faite un *fuck you*!

Zac regarde Yvan avec un air découragé. Il esquisse un mouvement brusque du bras qui fait aussitôt fuir le cadet.

> GERVAIS
> Hey, qu'ils s'aiment. Pis qu'ils sont
> donc polis en public.

C'est au tour de Georges, le beau-frère, de s'esclaffer
de rire.

> GERVAIS
> (à Raymond)
> Va baisser ta musique, toi!

Raymond ne bouge pas d'un poil. Exaspéré, Zac souffle
sur les chandelles. On applaudit et fait de la lumière.

Zac pige généreusement dans un plat de sandwichs aux
œufs et traverse la cuisine en foudroyant Raymond du
regard.

Ce dernier vide son verre et se ressert à boire devant
le regard préoccupé de sa mère et ceux admiratifs de
petits cousins impressionnés par ses nombreux tatouages.

> NARRATEUR (V.O.)
> Comme à chaque Noël, le salaud venait à
> peine passer une heure, le temps de faire
> le plein et de me faire chier.

Raymond tend les lèvres et fait un clin d'œil à Zac qui
s'éloigne avec des couteaux dans les yeux.

56   <u>SALON & HALL D'ENTRÉE – MAISON DES GRANDS-PARENTS – SUITE</u>   56

Zac s'écrase dans un fauteuil avec son assiette et
dévore ses sandwichs comme seul un ado qui «dégèle» en
est capable.

Laurianne le rejoint et lui remet discrètement une
enveloppe blanche en l'embrassant sur la joue.

> LAURIANNE
> Bonne fête. Tu t'achèteras ce que tu
> veux.

Zac sourit timidement. Il n'a pas le temps de remercier
sa mère qu'elle est déjà repartie.

> ZACHARY
> Attends.

Zac lui fait signe de l'attendre, tandis qu'il entre
dans une chambre.

PDV de Laurianne sur Zac qui plonge la main dans une montagne de manteaux d'hiver empilés sur le lit de la chambre des parents.

Zac revient auprès de sa mère avec un cadeau emballé qu'il lui remet avant de se rasseoir et de continuer à manger. Laurianne déballe son cadeau et affiche un sourire instantané en lançant un regard ému à son fils. Elle tient un livre intitulé *Jérusalem* dont la page couverture présente une magnifique photo de la Ville Sainte. Elle le parcourt sous le regard de Zac.

> NARRATEUR (V.O.)
> J'aimais bien rêvasser en pensant à ma
> mère, m'imaginer riche pour pouvoir, un
> jour, la gâter.

On SONNE à la porte. Lucien et Monique, suivis de leur fille BRIGITTE, maintenant une voluptueuse adolescente, entrent dans la maison.

Laurianne embrasse son fils et va à la rencontre des nouveaux arrivants qui lancent des « Joyeux Noël » et « Bonne Année ».

Zac observe sa cousine Brigitte dans les moindres détails. Elle enlève son manteau et se révèle dans une robe moulante qui lui dévoile le dos, les bras et, lorsqu'en mouvement, les cuisses. La jeune fille trouve appui contre sa mère et enfile des souliers à talons aiguilles. Les deux femmes ont pratiquement le même corps.

Zac n'en revient pas. Laurianne non plus, qui croise le regard de son fils.

Brigitte l'aperçoit et lui sourit en le saluant de la main. Elle se retourne pour accueillir un beau jeune homme, PAUL, 18 ans, qu'elle aide aussitôt à se dévêtir. Paul remet une clef de Cadillac au père de Brigitte qui se tourne aussitôt vers Gervais pour lui brandir sa clef au visage, tandis que Paul dépose au sol une pile de disques. Il se tourne vers Brigitte et l'embrasse sur la bouche.

Zac écarquille les yeux.

PDV de Zac sur les lèvres de Brigitte et de Paul qui poussent l'audace de s'embrasser... la bouche ouverte.

Zac porte un sandwich aux œufs à ses lèvres et, plutôt que de le croquer, l'embrasse.

57 SALON - MAISON DES GRANDS-PARENTS - PLUS TARD   57

Brigitte et Paul dansent le mambo au milieu des INVITÉS réunis au salon dans un épais nuage de fumée.

En retrait dans un coin, Zac respire discrètement dans sa pompe en regardant le spectacle d'un air ahuri.

> NARRATEUR (V.O.)
> Ma cousine Brigitte venait d'abandonner
> l'école pour se consacrer, à temps plein,
> à la danse sociale. À 15 ans!

Zac hoche la tête. Il n'en revient pas. Il se met à inspecter Paul dans ses moindres gestes. Il semble impressionné par ses mouvements, son assurance, son *look* et son grain de beauté parfaitement placé aux commissures des lèvres.

Plus loin, prêt à sortir, Raymond salue ses parents. La musique prend fin. On applaudit. Gervais se précipite vers la chaîne stéréo.

58 SALON - MAISON DES GRANDS-PARENTS - PLUS TARD   58

Micro à la main, fidèle à lui-même, Gervais offre son inépuisable imitation d'Aznavour: «*Emmenez-moi au bout de la terre.*»

Mais personne ne l'écoute. Tous parlent, boivent, fument, rient.

Zac, lui, regarde son père d'un air espiègle. Mine de rien, il donne un petit coup de pied sur le meuble stéréo, ce qui fait sauter le disque. Gervais doit s'interrompre. Il foudroie son fils du regard. Zac joue l'innocent. Gervais reprend de plus belle là où Aznavour est rendu. Fier de son coup, Zac passe en revue les disques que Paul a apportés: des disques de danse sociale dont un de Perez Prado, le roi du mambo, et des disques de style disco. Zac hoche la tête en soupirant.

> BRIGITTE (H.C.)
> Zac! C'est ta fête!

Zac se tourne vers Brigitte qui s'approche en bondissant de joie. Paul suit, une bière à la main. Brigitte glisse son bras sous celui de Zac.

> BRIGITTE
> (à Paul)
> On a un mois de différence. On se voit pas souvent mais quand on se voit, on a du fun.
> (à Zac)
> T'as ben changé!

À bien le regarder, Brigitte ne semble pas convaincue que c'est pour le mieux. Zac ne sait trop quoi répondre, ni où regarder.

> BRIGITTE
> C'est mon chum, Paul.
> (à Paul)
> Mon cousin, Zac.

Zac vient pour tendre la main mais s'interrompt lorsque Paul le salue d'un geste de la tête.

> BRIGITTE
> (à Zac, en catimini)
> Y'a son permis de conduire.

Brigitte est fière de voir Zac intimidé. Paul repère des yeux le paquet de cigarettes qui se trouve dans la poche de chemise de Zac et, avec assurance, lui vole.

> PAUL
> J't'en pique une.

Zac veut s'opposer mais il est trop tard, Paul a déjà ouvert le paquet. Il voit, parmi les cigarettes, un joint mal roulé. Les yeux de Paul rencontrent ceux de Zac. Un malaise pendant lequel on entend Gervais chanter: «... *il semble que la misère serait moins pénible au soleil...*».

59 INT./EXT. NUIT – CADILLAC 1975 STATIONNÉE – PLUS TARD 59

Zac, Brigitte et Paul sont tous les trois assis sur la banquette avant d'une Cadillac de l'année. Les vitres

sont baissées. Zac tire une touche d'un joint devant le
regard amusé de sa cousine.

> BRIGITTE
>
> Mon cousin qui fume du «pot» avec mon
> chum. J'en reviens pas!

Zac lui passe le joint qu'elle remet aussitôt à Paul.

> ZACHARY
>
> Tu fumes pas?

> BRIGITTE
>
> J'touche pas à ça. Une chance. Si c'était
> rien que de lui, il serait toujours en
> train de fumer. On va voir un film, il
> veut fumer, on va patiner, il veut
> fumer...

Le joint revient à Zac.

> PAUL
> (interrompant, à Zac)
> Patines-tu? À roulettes?

Zac fait signe que non.

> PAUL
>
> Le tour des gars, *full pine*, la musique
> au boutte, ben gelé. Un moment donné,
> quand tu te laisses rouler, t'entends
> toute, pis t'as l'impression que ça bouge
> au ralenti autour de toi, comme dans un
> film.

Paul s'imagine sur place et bouge au ralenti.

> BRIGITTE
>
> Un film de drogués, oui.

Zac est rivé aux lèvres de Paul.

> PAUL
>
> T'essaieras ça.
> (à Brigitte, reprenant le joint)
> Fais-moi un «shot».

> BRIGITTE
>
> Es-tu fou?

> (à Zac)
> J'me suis brûlée la langue la dernière
> fois.

Brigitte se souvient soudainement de quelque chose.

> BRIGITTE
> Hey, j'ai pensé à toi pis ça a arrêté de
> brûler ben vite.

Paul semble se demander de quoi parle Brigitte.

> BRIGITTE
> (à Paul)
> Y'a un don pour arrêter les brûlures.

Paul regarde Brigitte et Zac d'un air sceptique.

> BRIGITTE
> Pis le sang.

Zac est mal à l'aise. Il aurait préféré que Brigitte se
la ferme. Après un long silence, Paul pouffe de rire.

> BRIGITTE
> C'est vrai.
> (à Zac)
> Dis-y!

Zac hésite à répondre, embarrassé.

> ZACHARY
> C'est ma mère qui a rentré ça dans 'tête
> à toute la famille.

> PAUL
> Arrêtes-tu aussi ta blonde de couler une
> fois par mois?

Paul éclate de rire. Zac l'accompagne.

> BRIGITTE
> Niaiseux.
> (à Zac)
> C'est ça, fais-moi passer pour une folle.

> ZACHARY
> J'crois pus à ça, excuse-moi.

                    BRIGITTE
    Ça veut pas dire que t'as pus de dons,
    voyons donc.

Paul et Zac rient de la rime involontaire de Brigitte.

                     PAUL
                   (à Zac)
       Veux-tu un *shot*?

Paul se fout le joint à l'envers dans la bouche et fait
signe à Zac de s'approcher. Les deux nouveaux compères
retiennent un fou rire. Leurs lèvres se rencontrent. À
peine un centimètre les sépare, juste assez pour voir
l'œil de Brigitte qui zieute son amoureux. Un mince
filet de fumée jaillit de la bouche de Paul et pénètre
dans celle de Zac qui lève aussitôt des yeux hébétés.
Leurs regards se croisent. Zac ne sait plus où regarder
sinon que cet original grain de beauté qui lui saute à
la figure. Paul s'éloigne. Zac retient sa fumée et se
rassoit, impressionné par l'expérience du « shotgun ».

                    BRIGITTE
                   (à Zac)
       Eh! que t'as changé.

Zac et Paul pouffent de rire. Celui-ci monte le volume
de la musique et se met à chanter à tue-tête : « *Louie,
Louie, Louie...* »

60   <u>EXT. JOUR – ENTRÉE DE GARAGE – BUNGALOW BEAULIEU (1976)</u>   60

Brother Louie se poursuit plein son. Zac lave la
Chrysler 75 de son père... en patins à roulettes. Le
pauvre n'est pas du tout doué. Ses cheveux sont
maintenant coupés comme ceux de Paul et c'est à son tour
de chanter « *Louie, Louie, Louie* ». Il s'interrompt
lorsqu'il voit Michelle (l'adolescente de la scène de
l'église) sortir de la maison voisine pour venir à sa
rencontre.

Zac laisse tomber le tuyau et patine vers Michelle.
Gervais sort sur le perron et s'arme de son plus
charmant sourire.

>   GERVAIS
>   Si c'est pas la belle Michelle.
>
>   MICHELLE
>   Bonjour M. Beaulieu.
>
>   ZACHARY
>   (à Gervais)
>   J'vas le finir tantôt.
>
>   GERVAIS
>   Pas de problème.

Gervais regarde la belle Michelle entrer chez lui et envoie un clin d'œil des moins discrets à son fils.

Zac entre, agacé par le comportement de son père. Gervais n'en fait pas de cas et se dirige vers sa voiture en faisant quelques pas de danse rigolos devant les regards curieux des voisins rondouillards.

>   NARRATEUR (V.O.)
>   Contrairement aux pères de mes amis qui
>   étaient toujours aussi banals et sans
>   histoires, le mien était toujours le
>   meilleur au monde...

C'est au tour de Gervais de chanter à tue-tête: «*Louie, Louie, Louie.*»

>   NARRATEUR (V.O.)
>   ... pour me faire honte.

61   <u>INT. JOUR – CHAMBRE DE ZAC & YVAN – BUNGALOW BEAULIEU (1976)</u>   61

Zac ferme brusquement la porte de sa chambre. Le côté d'Yvan est décoré d'affiches de soucoupes volantes et de westerns-spaghettis; celui de Zac est décoré d'affiches de Bowie, des Stones, de Bruce Lee, de Robert Charlebois et du film *Harold et Maude* dans lequel le personnage principal joue du banjo.

Michelle dépose un microsillon sur la platine tourne-disque.

Zac s'empresse de cacher certains disques qui traînent: un de Perez Prado, le roi du mambo et d'autres de style disco, les mêmes que Paul avait au réveillon de Noël mais flambant neufs.

La porte de la chambre s'ouvre de quelques pouces.

                    LAURIANNE (H.C.)
        La porte ouverte!

On entend Laurianne s'éloigner. Zac s'étend sur son lit
et regarde distraitement un disque de Bowie sur lequel
l'artiste est maquillé d'un éclair rouge lui traversant
le visage.

                    ZACHARY
        Elle se plaint que la musique est trop
        forte pis elle veut que la porte soit
        ouverte. Ouverte ou fermée, voir si je
        coucherais avec ma meilleure amie!

Michelle se laisse tomber près de lui et lui vole sa
cigarette.

                    MICHELLE
        Remarque que... j'pense qu'elle serait
        moins fâchée de te surprendre avec moi
        qu'avec ta cousine aux grosses boules?

Zac la regarde, amusé, et reprend sa cigarette.

                    ZACHARY
        Reviens-en de ma cousine!

                    MICHELLE
        C'est pas moi qui veut coucher avec.

                    ZACHARY
        J'vas t'en dire encore des affaires.

                    MICHELLE
        Elle prend-tu vraiment la pilule?
        Pourquoi les plus belles filles sont les
        plus niaiseuses?

                    ZACHARY
        Tu l'as jamais vue.

                    MICHELLE
        Je l'ai vue en photo, c'est assez.

                    ZACHARY
        Fais pas ta jalouse. Toi aussi, t'es
        niaiseuse.

C'est au tour de Michelle d'être surprise... et fière du compliment déguisé. Elle lui donne un coup de coude amical.

                    ZACHARY
          Je la vois une fois par année, comment tu
          veux que je couche avec?

Michelle redevient morose.

                    ZACHARY
          De toute façon, elle a un chum... plus
          vieux... pis aussi niaiseux qu'elle.

                    MICHELLE
          Mais pas aussi niaiseux que toi?

Michelle pose sa main sur le dos de Zac et le caresse.

                    ZACHARY
          Arrête.

Michelle continue ses caresses.

                    ZACHARY
          On s'entend ben, là! Ça va toute changer
          si on commence ça.

                    MICHELLE
          Tu disais pas ça, la semaine passée.

Michelle affiche un sourire en coin et plonge sa main dans les cheveux de Zac.

                    ZACHARY
                 (se dégageant)
          Arrête.

Zac va éteindre sa cigarette dans un cendrier près de la chaîne stéréo. Michelle se lève et s'éloigne.

                    ZACHARY
          Tu vois ce que ça fait?

                    MICHELLE
          Ça fait absolument rien.

Michelle sort de la chambre en cachant à Zac le majeur qu'elle lui adresse.

62 INT./EXT. JOUR – VOITURE DE GERVAIS – BUNGALOW BEAULIEU 62
    (1976)

Gervais insère une cartouche audio de Patsy Cline dans
le lecteur huit pistes de sa voiture alors qu'il
s'engage sur la rue en compagnie du petit Yvan. Il
aperçoit Michelle qui sort de la maison, frustrée. La
jeune fille retourne chez elle. Gervais réfléchit.

                        GERVAIS
            Dis-moi pas qu'il l'a tripotée?

À bien y penser, cette possibilité le fait sourire.

63 INT. JOUR – CHAMBRE DE ZAC & YVAN – BUNGALOW BEAULIEU (1976) 63

Un mécanisme automatique fait tomber un microsillon sur
la platine d'un tourne-disque. Puis le bras de lecture
se pose sur le microsillon.

Zac se laisse tomber sur son lit, sur le dos, tandis que
la guitare cosmique de *Space Oditty* se fait entendre.

Zac s'allume une cigarette, en prend une bouffée et
laisse sortir de sa bouche une fumée dense et sensuelle.
Une étincelle jaillit dans ses yeux rêveurs. Il sourit,
se fout la cigarette à l'envers dans la bouche et
exécute un «shot gun». La fumée voile l'écran...

64 EXT. JOUR – PISCINE MUNICIPALE – FANTASME (1976) 64

... et se dissipe pour révéler le corps dénudé de la
belle Brigitte étendue sur le dos et parée d'un bikini
agréablement minimaliste. Couchés à ses côtés, Zac et
Paul se partagent une cigarette en se livrant un duel de
ronds de fumée. D'un puissant coup de mâchoire, Zac
propulse un rond qui monte en altitude comme une fusée.

«*Lift off and may God's love be with you*», poursuit
Bowie. La caméra suit le rond, très haut, très loin,
pour révéler un plan d'ensemble spectaculaire de la
piscine municipale.

Dans le ciel, le rond de fumée traverse les nuages à la
vitesse de la lumière et arrive dans l'espace où les
étoiles filent. Puis, soudain, elles se figent.

65   <u>INT. JOUR - CHAMBRE DE ZAC & YVAN - BUNGALOW BEAULIEU (1976)</u>   65

Nous sommes maintenant devant le mur de tapisserie de la chambre de Zac qui représente l'espace. Le rond de fumée se dissipe sur le mur et Zac, debout, dos à nous, devant un grand miroir, chante à tue-tête en synchronisme avec la voix de Bowie, le visage maquillé d'un éclair rouge. Il est tellement dans son monde qu'il ignore complètement...

... le public d'ÉCOLIERS qui, du trottoir, savoure le spectacle risible qu'il leur offre par la fenêtre de sa chambre. Tous se bidonnent, à l'exception de quelques FILLES et d'un garçon aux airs timides, THOMAS, 15 ans, qui regarde Zac avec des airs admiratifs, ce qui ne passe pas inaperçu aux yeux d'un jeune COSTAUD à la moustache en duvet. Michelle passe.

Puis, tout à coup, la musique coupe brusquement. Zac est propulsé sur le lit par son frère Antoine, 21 ans, qui tire aussitôt le rideau de la fenêtre.

                    ANTOINE
          As-tu fini de te prendre pour c't'hostie
          de fif-là! Tu nous fais passer pour une
          gang de caves!

Antoine claque la porte derrière lui, ce qui nous laisse sur une affiche de Bowie. Effectivement, l'artiste a quelque chose d'androgyne.

Zac reste assis sur son lit et cherche à retrouver son souffle, échaudé par l'intervention de son frère. Il entend des sifflements en provenance de la rue et se laisse tomber sur le dos, conscient du ridicule auquel il vient de s'exposer. Il prend sa pompe et en tire un coup.

Yvan, 8 ans, entre alors dans la chambre, un sac de frites à la main, et s'assoit sur son lit en regardant Zac en silence.

                    ZACHARY
          Fais de l'air!

Yvan continue de manger ses frites. Zac fonce soudainement vers son frère comme un fou enragé. Yvan déguerpit.

> YVAN
> C'est ma chambre aussi!

Zac claque violemment la porte.

66   EXT. JOUR - COUR D'ÉCOLE (1976)   66

La flamme d'une allumette prend vie. Zac s'allume une cigarette en marchant le long d'un mur sur lequel sont adossés des dizaines d'ÉCOLIERS. Ceux qui se trouvaient, la veille, au spectacle improvisé de Zac affichent des sourires en coin à son passage. Le jeune costaud à la moustache de duvet pousse Thomas le timide devant Zac, qui n'a d'autre choix que de s'arrêter.

> LE COSTAUD
> Envoye Toto! Demande-lui un autographe.

Le costaud se trouve drôle et retourne auprès de ses amis qui ne savent pas trop s'ils doivent rire ou non. Zac regarde Toto s'éloigner et s'approche du costaud et de ses AMIS, tous plus grands que lui.

> ZACHARY
> Y a-tu un problème?

Zac est incroyablement sûr de lui. Les élèves sont provoqués par son affront mais personne n'ose le confronter. Zac reprend sa marche, cigarette au bec, en direction de la rue où...

... Raymond, 22 ans, l'attend, l'allure «killer», assis sur une vieille Harley Davidson dans un état plutôt lamentable.

> NARRATEUR (V.O.)
> Y'avait aussi des bons côtés à avoir un grand frère débile.

67   RUE DEVANT L'ÉCOLE - SUITE   67

Impatient, Raymond fait ronronner son moteur infernal. Zac chevauche la Harley derrière son frère.

> NARRATEUR (V.O.)
> Toujours prêt à rendre service...

> RAYMOND
> Envoye, crache, p'tit Christ.

> NARRATEUR (V.O.)
> ... pour la modique somme de deux
> dollars.

Zac dépose un billet de deux dollars dans le jeans de
Raymond qui fait aussitôt décoller sa Harley.

68   INT. JOUR - SALON - BUNGALOW BEAULIEU (1976)   68

Yvan, 8 ans, regarde la télé avachi sur le divan. Zac
fait de même, avachi dans un fauteuil. Il se prépare à
se mettre une gomme dans la bouche mais se ravise. Il la
coupe en deux et lance la moitié à Yvan qui affiche
aussitôt un large sourire.

Raymond arrive au salon en provenance du sous-sol, change
le récepteur de chaîne et va s'écraser sur le divan.

> ZACHARY
> Eh! On était là en premier!

> RAYMOND
> Ta yeule, le fif!

Gervais apparaît dans le salon en provenance de la
cuisine.

> GERVAIS
> Comment tu l'as appelé?

Raymond n'a pour réponse qu'un regard insolent. Zac est
surpris de l'intervention de Gervais.

> GERVAIS
> Excuse-toi.

Raymond pouffe de rire.

> GERVAIS
> Excuse-toi, pis remets-lui son émission!

Raymond réalise que Gervais n'entend pas à rire. Il se
lève et marche en direction du sous-sol en continuant à
défier son père du regard.

                    GERVAIS
                 (en criant)
        Excuse-toi, j'ai dit!

Yvan reste saisi par le cri de son père. Laurianne
apparaît dans le salon en provenance de la cuisine,
suivie de Christian, un livre à la main.

                    ZACHARY
        C'est pas grave, P'pa!

                    GERVAIS
              (en criant de plus belle)
        Envoye!

                    RAYMOND
                (en fixant Gervais)
        Excuse-moi.

Raymond quitte la maison en claquant la porte. Gervais
et Laurianne s'échangent un regard d'impuissance.
L'homme retourne à la cuisine, tandis qu'Antoine fait
son entrée en laissant tomber au sol une énorme poche
d'équipements de hockey.

                    ANTOINE
              (désignant Raymond, dehors)
        Y'avait pas d'l'air content, lui.
                 (à Laurianne)
        Qu'est-ce qu'on mange?

Laurianne remarque ses blessures au visage.

                    LAURIANNE
        Qu'est-ce qui est arrivé?

                    ANTOINE
        Une p'tite chicane au hockey.

                    LAURIANNE
        C'était pas une pratique que t'avais?

                    ANTOINE
        Ben oui.

                    CHRISTIAN
        Tu t'es battu avec un de tes joueurs?

ANTOINE
On s'est chamaillés un peu, c'est toute.
On a même pas enlevé nos gants.

Christian remarque que Zac n'a pas la tête à se joindre
à la conversation.

YVAN
Contre qui?

ANTOINE
Tremblay.

CHRISTIAN
(à Antoine, provocant)
Tu t'es fait planter par le p'tit fif à
Tremblay?

Zac, Laurianne et Yvan sont surpris par la sortie de
Christian. Antoine, lui, mord à l'hameçon.

ANTOINE
Qu'est-ce tu veux, toi, grand fif à
lunettes?

Gervais réapparaît, exaspéré.

GERVAIS
C'est quoi l'idée de se traiter de fif à
tout bout de champ? À vous écouter, on
est une belle gang de tapettes.

Un temps. Antoine cherche à comprendre. Laurianne
retourne à ses chaudrons puis retient un fou rire qui,
rapidement, devient contagieux. Christian regarde Zac
qui n'entend pas du tout à rire, lui.

69   <u>INT. NUIT – CHAMBRE DE ZAC & YVAN – BUNGALOW BEAULIEU (1976)</u>   69

Zac et Yvan sont couchés dans leur lit respectif. Yvan
dort. Zac, lui, est perdu dans ses pensées. Un temps
pendant lequel il lève les yeux sur le crucifix au mur.
Il lui tourne le dos puis se met à cligner des yeux pour
retenir l'émotion qui lui fait briller les pupilles.

ZACHARY
Pas ça, s'il vous plaît. N'importe quoi
mais pas ça.

70   INT./EXT. JOUR - SALON - BUNGALOW BEAULIEU (1976)   70

Raymond démarre sa Harley stationnée derrière la
Chrysler de Gervais. Gervais approche de Raymond, lui
remet une boîte à lunch, un casque de construction,
échange quelques mots et lui fait une prise de tête
amicale.

Zac les regarde d'un air envieux à travers la fenêtre du
salon en sirotant un café et en prenant soin de ne pas
se montrer.

Raymond décolle et s'engage dans la rue. Gervais monte à
bord de sa voiture, fait jouer *Crazy* de Patsy Cline et
disparaît à son tour.

Zac file au sous-sol comme un voleur.

71   INT. JOUR - CHAMBRE DE RAYMOND - BUNGALOW BEAULIEU (1976)   71

Crazy se poursuit, plein son. Zac fouille dans le tiroir
d'une commode. La décoration de la chambre de Raymond
est étonnement révélatrice et laisse même perplexe: on y
voit des affiches de Bowie, des Stones, de Bruce Lee. On
comprend maintenant d'où provient l'inspiration de Zac.

Zac trouve enfin une paire de bas dans laquelle il
plonge la main et en ressort un sac de cannabis. Il en
prend une pincée, remet le sac à sa place, relève les
couvertures du lit de Raymond et crache sur le drap
avant de partir en vitesse.

72   EXT. JOUR - RUE DE ROSEMONT - VILLE (1976)   72

Zac savoure les caresses du vent sur son visage en
roulant sur son Velosolex, l'air heureux, libre,
rebelle.

Le son rétro de la chanson de Patsy Cline qui se
poursuit lui confère une excentricité cocasse. Nous
sommes loin d'*Easy Rider* mais qu'importe, Zac reste
cool.

                    ZACHARY (V.O.)
          Faites que je les rencontre, s'il vous
          plaît.

73   <u>EXT. JOUR - RUE DE ROSEMONT - VILLE (1976)</u>   73

Des voitures traversent rapidement le cadre nous
laissant voir, de l'autre côté d'une rue achalandée,
Paul et Brigitte, de dos, devant un Dairy Queen. Paul
s'éloigne laissant Brigitte seule devant la crémerie
avec son vélo.

Il s'agit là du PDV de Zac, caché derrière une voiture.
Il lance sa cigarette d'une pichenette à la Gervais et
démarre alors que Patsy Cline chante : «... *and I'm crazy
for lovin' you*».

Zac stationne son vélomoteur devant Brigitte et joue le
surpris.

                         BRIGITTE
              Zac ! Qu'est-ce tu fais là ?

Zac se place les cheveux. Sa nouvelle coiffure ne passe
pas inaperçue aux yeux de Brigitte.

                         BRIGITTE
              T'as changé tes cheveux, c'est cool.

                         ZACHARY
              Merci. Es-tu toute seule ?

                         BRIGITTE
              Non, euh... J'suis avec mon nouveau
              partenaire de danse.

Zac ne comprend pas. Il regarde en direction du Dairy
Queen d'où sort un GARÇON qui, de dos, ressemble à Paul
mais qui, de face, avec sa chemise déboutonnée, a
quelque chose de simiesque.

                         BRIGITTE
              Émilio. Y'est italien.

À l'abri du regard d'ÉMILIO, elle fait un air à Zac pour
lui faire comprendre qu'elle le trouve beau comme un
dieu. Zac reste muet, déçu.

74   <u>EXT. JOUR - RUE DE ROSEMONT - VILLE - PLUS TARD</u>   74

Zac roule sur sa bécane en faisant du slalom entre les
voitures. On le klaxonne. Il réagit promptement en
montrant le majeur. Puis il ralentit et s'arrête

derrière de nombreuses voitures qui font la queue à un
feu rouge. Sa respiration s'agite. Une crise d'asthme le
guette. Il sort sa pompe et au moment où il en prend une
bouffée...

FLASH : EXTRÊME GROS PLAN d'un grain de beauté à travers
un nuage de fumée.

Le regard de Zac se perd dans une pensée qui bientôt lui
donne un air effrayé. Un temps pendant lequel il fixe le
feu rouge d'un regard troublé, irrité. Puis il décolle
comme une flèche en se faufilant entre les voitures qui,
elles, demeurent immobiles.

La main de Zac pousse l'accélérateur à sa position
maximale.

> ZACHARY (V.O.)
> Change... change...

Le feu reste rouge et, au moment où Zac traverse
l'intersection à pleine vitesse, il passe au vert. EFFET
DE RALENTI.

> NARRATEUR (V.O.)
> J'allais simplement être guéri de mon
> asthme... si je réussissais à passer.

Le décor de rue se met à pivoter autour de Zac. Son
visage est aveuglé par une puissante lumière blanche qui
augmente en intensité. FLASH.

75 <u>INT. JOUR – HÔPITAL (1976)</u> 75

EXTRÊME GROS PLAN de Zac qui expire son dernier souffle.

NOIR et SILENCE ABSOLU.

> NARRATEUR (V.O.)
> Pour la deuxième fois de ma vie, on me
> déclarait cliniquement mort... pendant
> trois secondes.

Une image abstraite prend forme. On dirait la silhouette
d'un homme. Nu.

<u>INT. JOUR – CHAMBRE DE ZAC & YVAN – BUNGALOW BEAULIEU (1976)</u>

Il s'agit en fait d'un Jésus, plus précisément d'un crucifix en plastique accroché au mur, éclairé par un rayon de soleil.

Couché dans son lit, le cou dans un collet cervical, le souffle déficient, Zac se réveille. Il s'étire le bras pour prendre sa pompe qu'il regarde longuement avant d'en prendre une bouffée. Laurianne s'amène.

> LAURIANNE
> Dieu merci, t'as été consacré à la Sainte
> Vierge, toi.

Laurianne reste là, silencieuse, à hocher la tête.

> LAURIANNE
> J'en reviens pas. C'est un miracle.
> (un temps)
> T'as fait brailler ton père.

Zac est surpris de la confidence et sans doute aussi du témoignage de Gervais.

> LAURIANNE
> Fais-nous pus jamais peur de même.

Laurianne s'émeut. Zac reste muet et n'a pas encore levé les yeux sur sa mère qui laisse passer quelques secondes pour reprendre le dessus sur ses émotions.

> LAURIANNE
> As-tu le goût de parler?

Zac soupire, agacé, et tourne le dos à sa mère. Laurianne est déçue mais comprend le message. Elle s'éloigne, à regret. Lorsqu'elle sort de la chambre, Zac se décide enfin à parler.

> ZACHARY
> J'suis écœuré de ma maudite pompe.

Laurianne regarde son fils, immobile dans l'embrasure de la porte. Un temps.

> ZACHARY
> J'aimerais ça respirer comme tout le
> monde.

Laurianne va s'asseoir sur le bord du lit. Zac demeure
couché dos à sa mère.

> LAURIANNE
>
> Ça va arriver, fais-toi-z'en pas. Je le
> sais, c'est pas facile là. Moi aussi je
> me pose des questions. Pourquoi est-ce
> que mon enfant est malade? Quand est-ce
> qu'il va guérir? C'est pas facile de pas
> avoir de réponse. Mais faut pas que tu
> perdes espoir. C'est ça croire.

Zac soupire.

> LAURIANNE
>
> La foi déplace les montagnes. T'es mieux
> placé que n'importe qui pour le savoir.
> Pis regarde tout ce que t'as! T'es doué
> comme ça se peut pas. T'es bon dans
> toute. Pis t'es beau comme un cœur.

Zac aime bien entendre ces paroles mais ne le montre pas.

> LAURIANNE
>
> C'est pas une petite pompe qui va
> t'arrêter. Demande au bon Dieu de t'aider
> quand tu trouves ça dur. Il t'oubliera
> pas.

Laurianne se met à lui caresser le dos, la nuque, la
tête. Elle est heureuse de le voir se laisser toucher et
en profite.

> LAURIANNE
>
> Mon p'tit Jésus qui a encore ressuscité.
> J'en reviens pas.

Zac écarte la main de sa mère.

> ZACHARY
>
> C'est ça pis heureux les creux car le
> royaume des cieux est à eux.

Laurianne le regarde un instant, blessée. Puis elle se
lève, embrasse son fils sur la tête et lui chuchote
un...

> LAURIANNE
>
> J't'aime.

... qui semble ne lui faire aucun effet. Laurianne quitte la chambre. Zac écoute les pas de sa mère qui s'éloignent tandis qu'il lance un regard incisif au roi du mambo, Perez Prado, qui de sa pochette le regarde avec son légendaire sourire. On entend la porte de la maison se refermer. Zac sort de son lit.

> NARRATEUR (V.O.)
> Pendant que ma mère se dévouait quotidiennement à ses œuvres de charité, son petit Jésus n'avait qu'une idée en tête.

77   <u>INT. JOUR - CHAMBRE DE RAYMOND - SOUS-SOL - PLUS TARD</u>   77

La respiration rapide de Zac ne laisse aucun doute sur le plaisir qu'il se procure. Sa moue lui confère un drôle d'air de jouissance, quasi de déficience.

Son PDV révèle devant lui, dans un tiroir ouvert de la commode de Raymond, une revue porno exposant les corps d'une femme et de deux hommes en pleine action.

Sur les entrefaites, on entend la porte de la maison s'ouvrir, un petit rire coquet de fille et des pas qui descendent l'escalier. Zac a tout juste le temps de se précipiter dans un placard derrière une porte pliante.

Il entrevoit, entre les lattes, Raymond et une FILLE à l'allure hippie qui, enlacés l'un à l'autre, se laissent tomber sur le lit.

Zac jubile d'excitation. Les cris de jouissance se font de plus en plus intenses. Puis c'est l'orgasme. Précoce, ce Raymond. Zac touche son collet cervical en souriant comme s'il venait lui-même de se satisfaire.

78   <u>MONTAGE SÉQUENCE - CHAMBRE DE RAYMOND (1976)</u>   78

Noir. Deux lattes de bois s'ouvrent nous laissant voir Raymond, torse nu, en jeans, qui embrasse une FILLE DE RACE NOIRE. Raymond lui remet un sac d'herbe en échange d'argent. Les lattes se referment...

... et s'ouvrent à nouveau sur une FILLE BLONDE, échevelée, à moitié nue, qui se roule un joint...

... et enfin sur Doris qui entre en trombe dans la chambre en assenant à Raymond des coups de pied. Raymond réussit à la maîtriser et à la repousser. Doris reste en plan, essoufflée. Longue pause pendant laquelle le trio échange des regards.

> DORIS
> Mon hostie de menteur.

Raymond compte les fleurs du tapis. Doris s'en va.

La blonde s'approche de Raymond mais celui-ci lui fait signe de s'arrêter d'un geste impatient. On entend alors un craquement en provenance du placard.

Zac porte la main à sa bouche, conscient de son erreur. Un temps. Puis la porte du placard s'ouvre brusquement. Zac sourit d'un air niais en touchant son collet cervical. Un rouleau de papier de toilette traîne sur ses cuisses.

79   EXT. JOUR – COUR D'ÉCOLE (1976)   79

EXTRÊME GROS PLAN de Zac qui porte les verres miroirs de Gervais dont la réflexion renvoie l'image d'une dizaine d'ADOLESCENTS rivés à ses lèvres. Zac n'a plus son collet cervical.

> ZACHARY
> La plus hot, c'était une Négresse. On dirait qu'elle avait jamais rien manger. Faut dire qu'y'avaient fumé une couple de joints, ça donne faim.

Quelques rires. Zac manipule son public en habile raconteur.

> ZACHARY
> Quand elle se mettait à pomper, une vraie machine. Pis lui, il lui prenait la tête à deux mains pis il lui envoyait le plus loin qu'il pouvait. Pis plus elle pompait, plus il criait. Pis plus il criait, plus elle pompait.

Leur attention est soudainement attirée par le bruit d'une moto qui s'approche. Toutes les têtes se tournent en direction de Raymond assis sur sa Harley. Doris est

derrière lui et ne semble plus du tout porter rancune à
son homme.

Les jeunes se ruent sur la clôture et se mettent à crier
et à applaudir. Doris leur envoie la main, Raymond, le
majeur. Zac savoure son exploit en s'allumant une
cigarette. Seul Thomas le timide est resté près de lui.

> THOMAS
> T'es-tu déjà fait sucer, toi?

Zac soulève ses lunettes. Thomas grimace à la vue de
l'œil au beurre noir de Zac, horriblement tuméfié.

> ZACHARY
> Fais de l'air, le *weirdo*!

Le *weirdo* s'en va sans rouspéter, tandis que Zac remet
ses lunettes et propulse devant lui un rond de fumée à
travers lequel on voit la Harley de Raymond s'éloigner.

80   EXT. JOUR – ENTRÉE DE GARAGE – BUNGALOW BEAULIEU (1976)   80

Zac s'applique à polir la Chrysler de Gervais. Il
soulève ses verres miroirs pour regarder Michelle qui
sort de chez elle. Leurs regards se croisent. Zac lui
envoie la main. Michelle continue son chemin sans
répondre. Zac remet aussitôt ses verres lorsque Gervais
apparaît derrière lui, des clefs à la main.

> GERVAIS
> J'me demandais où c'qu'y étaient mes
> lunettes.

Zac ralentit ses mouvements, inquiet de devoir remettre
les verres à son père.

> ZACHARY
> T'en vas-tu?

Gervais regarde son auto qui brille d'éclat.

> GERVAIS
> Ça va me coûter cher.

> ZACHARY
> J't'ai rien demandé.

Un temps.

> GERVAIS

As-tu encore mal au cou?

> ZACHARY
> (hésitant)

Non...

Gervais lui lance son trousseau de clef. Zac l'attrape au vol.

> GERVAIS

Y'a pus de sauce HP.

Gervais jette un regard rapide vers la maison puis va prendre place du côté passager.

> GERVAIS

T'as un deux pour un, aujourd'hui. Tu vas commencer à apprendre à conduire, comme il faut... pis tu vas apprendre à faire la meilleure sauce à spaghatte au monde: la sauce à ton père.

Zac a un sourire spontané. Il hésite un instant et comprend que son père est sérieux.

> GERVAIS

Envoye, embraye avant que ta mère nous pogne.

Zac se précipite derrière le volant et démarre. La voiture s'engage doucement dans la rue.

> ZACHARY (H.C.)

De la sauce HP dans de la sauce à spaghatte?

> GERVAIS (H.C.)

Ça, c'est mon secret. Regarde en avant, pis tais toi. Première leçon: tu fermes ta yeule quand tu conduis.

81 INT. JOUR - CHAMBRE DE RAYMOND - SOUS-SOL (1976) 81

Laurianne vide les tiroirs de la commode de Raymond en jetant leur contenu par terre. Elle s'interrompt lorsqu'elle voit...

... Zac et Gervais qui s'amènent avec des airs
décontenancés.

> GERVAIS
>
> Que c'est tu fais là?

> LAURIANNE
>
> Le directeur de l'école vient d'appeler.
> Ça l'air que ton gars fait circuler des
> belles histoires sur Raymond.

Laurianne fusille Zac des yeux et se remet à chercher,
furieuse. Zac reste muet et joue l'innocent derrière ses
verres miroirs.

> LAURIANNE
>
> Y'aura pas d'histoires de cochonneries
> icitte pis encore moins d'histoires de
> drogues.

> GERVAIS
>
> Hein?

Gervais regarde Zac en prenant son air impérieux.

> LAURIANNE
>
> Si y faut que j'appelle la police pour
> que Raymond comprenne, ce coup-là, j'vas
> l'appeler.

> GERVAIS
> (à Zac)
> Que c'est qui est arrivé?

Gervais reprend ses verres miroirs et fige de surprise
lorsqu'il voit l'œil blessé de Zac.

> LAURIANNE
>
> Y'a des frères plus jeunes que lui...

Laurianne s'interrompt. Elle trouve enfin un sac de
cannabis qu'elle regarde longuement avant de s'asseoir
sur le lit.

82   EXT./INT. JOUR - PERRON/SALON - BUNGALOW BEAULIEU (1976)   82

Yvan est sur le perron à manger un popsicle assis aux
pieds de Zac qui est debout dans l'embrasure de la
porte. L'air piteux, Zac regarde Raymond, Doris et leur

ami, PAT, 23 ans, qui rangent des boîtes de carton dans le coffre d'un vieux corbillard des années 1960 repeint dans des couleurs psychédéliques. Christian, l'aîné, leur donne un coup de main.

Gervais suit la scène de l'intérieur derrière un journal qu'il n'arrive pas à lire, trop préoccupé à jeter des coups d'œil à l'extérieur.

Laurianne sort de la maison avec une boîte dans les bras. Zac lui retire des mains et marche en direction du corbillard. Raymond le voit s'approcher.

> RAYMOND
> J't'ai dit de rester loin, mon p'tit
> christ.

Zac s'arrête. Doris vient chercher la boîte.

> ZACHARY
> (à l'oreille de Doris)
> J'l'ai jamais stoolé.

Doris lui fait un clin d'œil. Zac retourne sur le perron.

Laurianne marche vers Raymond en regardant son fils non pas sans regret. Elle s'approche de lui, hésitante, et pose une main maladroite sur son bras. Raymond se laisse à peine toucher et chevauche sa Harley en faisant signe à Doris de monter.

Laurianne pose un regard triste sur sa bru qui suit docilement son homme.

Gervais suit la scène de la fenêtre du salon.

Raymond salue de la main son frère Christian et démarre. Le drôle de cortège s'engage sur la rue et s'éloigne.

Antoine sort de la maison en finissant d'attacher son pantalon.

> ANTOINE
> Y'est déjà parti? J'y ai même pas dit
> salut.

> YVAN
> C'était à toi de chier plus vite. Ça fait
> une demi-heure que t'es sur l'bol.

Laurianne et Christian gagnent le perron.

                    ANTOINE
                 (à sa mère)
        C'est peut-être pas le bon moment mais
        euh... j'peux-tu prendre sa chambre?

                    ZACHARY
        C'est moi qui la veux.

                  GERVAIS (H.C.)
                  (du salon)
        Y'a pas personne qui va prendre sa
        chambre, c'est-tu clair?

Gervais apparaît dans le hall.

                    GERVAIS
                  (à Zac)
        Surtout pas toi.

Gervais retourne à l'intérieur. Laurianne le suit en
lançant un regard froid en direction de Zac et Antoine.
Zac se tourne vers la rue et aperçoit un garçon qui
s'approche en vélo et qui envoie la main: Toto le
weirdo. Zac envoie le majeur.

83   EXT. JOUR - PARC - AUTOMNE (1976)   83

Zac et Michelle s'adonnent à une intense séance de
necking. Leurs baisers sont audacieux pour leur âge.
Michelle s'interrompt subitement.

                    MICHELLE
        Ça veut-tu dire qu'on est pus juste amis?

Zac réfléchit en cherchant son souffle.

                    ZACHARY
        Je sais pas. Qu'est-ce t'en penses?

Michelle en pense beaucoup de bien. Elle saute sur son
amoureux. Zac bascule vers l'arrière et tombe sur le dos
sur la pelouse tandis que Michelle le couvre de baisers.
Un temps. Les amoureux savourent leur petit moment de
bonheur. Le regard de Zac est soudainement attiré par
quelque chose.

> ZACHARY
>
> Qu'est-ce qu'il fait icitte, lui?

Michelle suit le regard de Zac et repère, plus loin, Toto le *weirdo* qui les regarde d'un banc de parc.

> MICHELLE
>
> Toto le *weirdo*. Laisse-le faire.

D'un geste impatient, Zac fait signe à Thomas de regarder ailleurs mais il n'en fait rien.

> ZACHARY
>
> Y'est baveux.
>
> (à Toto)
>
> Qu'est-ce tu veux!

Thomas a le réflexe de se tourner pour vérifier si Zac s'adresse bien à lui, puis, il reste là, sans trop savoir quoi faire sinon de continuer à fumer sa cigarette.

> ZACHARY
>
> Le tabarnak!

Zac s'élance vers Toto avec des couteaux dans les yeux. Toto déguerpit. Après quelques pas de course, Zac le laisse filer et rebrousse chemin. Michelle regarde Zac avec étonnement.

84   INT. JOUR - CUISINE - BUNGALOW BEAULIEU (1976)   84

Yvan, Antoine et Christian mangent autour de la table. Zac arrive dans la cuisine. Il ouvre la porte du frigo et regarde longuement à l'intérieur. Gervais goûte du doigt le mélange à gâteaux aux fruits que Laurianne prépare au comptoir.

> LAURIANNE
>
> Eh, qu'elle est excitée. J'pense que j'ai pas eu le temps de placer un mot. Elle a pas arrêté de parler de sa Brigitte. Ça a l'air qu'elle nous prépare tout un spectacle pour le réveillon cette année... avec son chum. On n'a pas fini d'en entendre parler.

> GERVAIS
> L'Italien?

> LAURIANNE
> Non, elle est revenue avec l'autre.

> CHRISTIAN
> Le danseur de mambo?

> ANTOINE
> Y s'ennuyait de ses gros jos.

Les frères la trouvent bonne. Zac, lui, reste planté devant le frigo tandis que Laurianne répond au téléphone. Gervais prend place à la table et constate, à regret, qu'un plat est vide.

> GERVAIS
> C'est qui le cochon qui a toute mangé ma
> graisse de rôtie?

Antoine et Christian se tournent vers Yvan. Laurianne raccroche et s'approche de Zac.

> LAURIANNE
> (en catimini)
> Ton p'tit cousin Daniel vient de se
> brûler au deuxième degré.

> ZACHARY
> C'est ben de valeur!

Zac claque violemment la porte du frigo. Tous le regardent quitter la cuisine.

> CHRISTIAN
> Adolescent en rut dans son habitat
> naturel.

Antoine la trouve bonne, même s'il ne semble pas avoir compris.

> ANTOINE
> Adolescent en quoi?

85 <u>EXT. JOUR - RUE DE QUARTIER RÉSIDENTIEL (1976)</u>   85

Les premiers flocons de l'hiver, gros, légers, peu nombreux, tombent sur Zac qui fume nerveusement en faisant du «sur-place». Noël approche. Quelques décorations extérieures en témoignent. Zac éteint sa cigarette et se décide enfin à traverser la rue. Il se dirige vers une petite maison en briques vertes qui n'a pas changé avec les années.

86   INT. JOUR - MAISON DE MADAME CHOSE - PLUS TARD   86

Madame Chose est assise sur sa chaise berçante au milieu de ses Tupperware, toujours aussi affreuse, aussi radieuse. Zac est assis près d'elle à sourire, gêné.

>   MADAME CHOSE
>   Es-tu venu me voir juste pour mes petits
>   plats Tupperware?

Zac ne peut s'empêcher de sourire. Il n'ose soutenir le regard de Madame Chose, car il sait très bien qu'elle le lit comme un livre ouvert. Un autre silence.

>   MADAME CHOSE
>   Comment tu te débrouilles avec tes dons?

Zac sourit. Il réfléchit à la question et perd graduellement son sourire. On sent qu'il voudrait parler mais en est incapable. Son regard s'arrête sur la photo du désert aux traces de pas dans le sable qu'il a jadis contemplée, sept ans plus tôt. Madame Chose suit son regard.

>   MADAME CHOSE
>   (désignant la photo)
>   Une belle histoire.

Zac ne sait pas de quoi elle parle.

>   MADAME CHOSE
>   Un homme rêvait qu'il marchait avec le
>   Christ sur le bord de la mer pendant
>   qu'ils regardaient des scènes de sa vie
>   dans le ciel. Un moment donné, l'homme
>   s'est retourné pis a remarqué qu'à
>   quasiment tous les moments de sa vie,
>   y'avait deux traces de pas dans le sable,
>   la sienne pis celle du Christ. Sauf...
>   dans les pires moments de sa vie où
>   y'avait juste une trace de pas.

Zac regarde la photo, intrigué. Effectivement, on y voit que les traces de pas d'un seul homme.

> MADAME CHOSE
> L'homme a dit à Jésus: «Tu m'avais dit
> que tu ferais tout le chemin avec moi.
> Pourquoi est-ce que tu m'as abandonné
> quand j'avais le plus besoin de toi?»
> Jésus a répondu: «Si y'avait juste une
> trace de pas dans le sable dans les
> moments les plus durs de ta vie, c'est
> que je te portais.»

Zac réfléchit quelques secondes et offre un sourire sincère à Madame Chose. Mais il le perd rapidement et baisse des yeux tristes au sol. Madame Chose le regarde patiemment.

Long silence pendant lequel Zac ose enfin affronter le regard de Madame Chose, ce qui déclenche en lui une émotion qui le rend vulnérable. Pas question de pleurer. La vieille observe le jeune avec compassion. Zac parvient tant bien que mal à enchaîner quelques mots, à peine audibles.

> ZACHARY
> J'veux être comme les autres.

Madame Chose laisse sagement passer les secondes.

> MADAME CHOSE
> Dieu merci, tu le seras jamais.

Zac la regarde, intrigué, démuni. Madame Chose, elle, sort son plus beau sourire. Zac bondit de sa chaise et s'en va.

87 <u>EXT. JOUR – COUR D'ÉCOLE (1976)</u>   87

Le visage de Toto le *weirdo* s'écrase contre le sol. Le garçon se relève et continue son combat... contre Zac.

Une vingtaine de JEUNES de tous âges forment un cercle autour d'eux. Michelle n'apprécie pas du tout le spectacle. Elle ne cesse de crier à Zac d'arrêter mais il n'en fait rien.

Zac est en train de démolir le pauvre Toto. Le costaud à la moustache de duvet intervient et les sépare. Mais Zac ne se maîtrise plus. Il s'en prend maintenant au costaud et réussit même à l'envoyer au sol.

88   EXT. JOUR - RUE DEVANT L'ÉCOLE (1976)   88

Gervais claque violemment la portière avant du côté passager de sa voiture, où est assis Zac, la mine basse. Le père fait le tour de la voiture, s'installe derrière le volant et démarre.

89   INT./EXT. JOUR - VOITURE EN MOUVEMENT (1976)   89

Gervais conduit en jetant des regards sévères sur Zac qui fixe l'extérieur, muet comme une carpe.

                    GERVAIS
          Qu'est-ce qu'y t'a pris?
                    (un temps)
          Faut que t'apprennes à te contrôler,
          voyons !

Un très long silence pendant lequel Gervais ne cesse de hocher la tête. Puis, venant de nulle part...

                    ZACHARY
          J'vas pas au réveillon, cette année.

90   EXT. NUIT - COUR ARRIÈRE - BUNGALOW BEAULIEU (1976)   90

Laurianne et Gervais sont assis sur des chaises de patio avec des cafés fumants, emmitouflés dans des couvertures devant un petit feu de camp de fortune.

                    GERVAIS
          Le gars était deux fois plus gros que lui.

Gervais réfléchit pendant quelques secondes et sourit.

                    GERVAIS
          Y'a du nerf, le petit maudit. Il retient
          de son père. Il va ben depuis un boutte,
          hein?

                    LAURIANNE
          T'appelles ça aller ben, toi?

                    GERVAIS
          Une p'tite bataille, y'a rien là.

Un temps.

> GERVAIS
> On devrait lui acheter quelque chose de
> spécial, c't'année, tu penses pas?

Laurianne n'en pense rien.

> GERVAIS
> Ça lui prenait une fille, cou donc! Elle
> est fine, la p'tite Michelle...
> (hésitant)
> Il m'a dit qu'elle l'a invité chez eux
> pour la veille de Noël.

Laurianne regarde son mari, inquiète.

> GERVAIS
> Il va avoir 16 ans. Faudrait commencer à
> lui laisser un peu de lousse.

> LAURIANNE
> Tu y as pas dit oui?

> GERVAIS
> J'y ai dit que j'allais t'en parler.

> LAURIANNE
> Qu'elle vienne, elle, si elle veut
> absolument passer Noël avec. Elle nous
> l'enlèvera pas le jour de sa fête.

Gervais ne semble pas d'accord mais demeure silencieux.

> LAURIANNE
> Il fera ben ce qu'il voudra quand y'aura
> l'âge. Pour l'instant, Noël, c'est en
> famille.

Gervais reste muet. Un temps.

> GERVAIS
> Qu'est-ce que tu penses d'un nouveau
> système de son pour sa chambre?

Gervais se perd dans une pensée qui lui arrache un
nouveau sourire.

>   GERVAIS
>   Y'a de l'oreille, j'en reviens pas. Il
>   retient ça de moi encore.

Laurianne échappe un soupir et éteint la lampe de
chevet. Gervais se demande ce qu'elle a.

91   INT. JOUR – CHAMBRE DE ZAC & YVAN – BUNGALOW BEAULIEU (1976)   91

Un microsillon tourne sur une platine tourne-disque.

Zac est étendu sur le dos dans son lit avec un casque
d'écoute sur la tête duquel on entend crier la guitare
langoureuse de *The Messiah Will Come Again*, de Roy
Buchanan. Il est perdu dans ses rêves et n'entend pas un
BRUIT qui provient de la fenêtre et ne voit pas non plus
la silhouette d'un GARÇON qui l'observe de l'extérieur.

Zac a un pressentiment. Il se sent regardé. Il se
redresse et jette un coup d'œil en direction de la
fenêtre. Ce faisant, le cordon du casque d'écoute se
débranche et fait exploser le volume de la musique.

92   EXT. JOUR – BUNGALOW BEAULIEU (1976)   92

La musique se poursuit, plein volume.

Gervais sort de la maison. Il marche vers l'entrée de
garage presque complètement déneigée. L'absence de son,
combinée à un effet de ralenti, créent une ambiance
particulière comme si quelque chose d'inattendue allait
se passer.

Une pelle traîne près de la Chrysler 75 de Gervais dont
les vitres sont embuées. L'homme s'approche de sa
voiture et s'arrête sec, à quelques pas d'elle, comme
s'il était foudroyé par une attaque cardiaque.

À l'intérieur de la voiture, sur la banquette arrière,
Zac regarde son père, effrayé.

Une neige fine tombe doucement sur le visage de Gervais.

La portière arrière de l'autre côté de la voiture
s'ouvre. Toto en ressort, l'air piteux.

93   INT. JOUR - SALON - BUNGALOW BEAULIEU (1976)   93

Christian et Yvan s'apprêtent à sortir de la maison. Ils
regardent en direction de Zac, assis sur le divan, comme
un condamné. Christian voudrait parler mais Gervais l'en
empêche.

                    GERVAIS
          Vous reviendrez dans une heure.

Gervais ferme la porte et se tourne vers Zac. Un temps.

                    ZACHARY
          J'ai rien fait.

Gervais regarde Laurianne, assise à l'écart, en montrant
son fils de la main. Zac tente de parler à nouveau mais
Gervais l'interrompt.

                    GERVAIS
          Prends-moi pas pour un cave!

Gervais fulmine. Jamais Laurianne et Zachary ne l'ont vu
s'emporter de la sorte.

                    GERVAIS
          C'est mal, ce que t'as fait là!

                    ZACHARY
          J'ai rien fait.

                    GERVAIS
          Menteur en plus!

                    LAURIANNE
          Donnes-y une chance de s'expliquer.

                    GERVAIS
          Regarde ce que ça fait, là, tes histoires
          de carrosses pis de minouchages.

Laurianne réplique d'un regard glacial.

                    GERVAIS
          Il remet pus jamais les pieds icitte,
          lui, c'est-tu clair? Si t'es pas capable
          de choisir tes amis, on va te les
          choisir, nous autres. La petite christ de
          tapette! Pis toi, le cave, tu te laisses
          entraîner là-dedans!

                    LAURIANNE
        Laisse-le donc parler.

                    GERVAIS
        Arrête de le défendre! J'ai vu ce que
        j'ai vu!
                    (à Zac)
        C'est mal, ce que t'as fait là,
        comprends-tu! Ça se fait pas ça!

Zac compte les fleurs du tapis.

                    ZACHARY
        On avait frette, on est allés se
        réchauffer, c'est toute.

Gervais s'accroche un sourire forcé aux lèvres.

                    GERVAIS
        On t'a-tu déjà battu?

La question étonne Zachary et le laisse hésitant.

                    ZACHARY
        Non.

                    GERVAIS
                (en fonçant vers Zac)
        Va-tu falloir qu'on commence pour que
        t'arrêtes de nous rire en pleine face?

                    LAURIANNE
        Gervais!

Le père s'arrête à quelques pouces de son fils et attend
sa réponse. Zac commence à flancher.

                    ZACHARY
        Je m'excuse.

94   INT. NUIT - TOILETTE - BUNGALOW BEAULIEU (1976)   94

Gervais ferme la porte-miroir de la pharmacie dans
laquelle il se regarde quelques instants, l'air déprimé.

                    GERVAIS
        Je comprends pas. Après tout ce qu'on lui
        a donné. C'est pas normal que ça nous
        arrive à nous autres, ça.

Gervais se brosse les dents tandis que Laurianne
s'affaire devant un autre miroir.

> LAURIANNE
> Ça peut arriver dans n'importe quelle
> famille. L'abbé Carbonneau dit qu'y faut
> pas chercher de coupable. C'est de la
> faute à personne.

> GERVAIS
> L'abbé Carbonneau?

Laurianne se rend compte qu'elle s'est échappée.

> LAURIANNE
> Fallait que j'en parle à quelqu'un.

Gervais hoche la tête.

> GERVAIS
> Pis moi, j'suis personne.

> LAURIANNE
> T'es pas parlable.

> GERVAIS
> (déprimé)
> Tous les voisins vont être au courant!

> LAURIANNE
> Ben non, voyons!

> GERVAIS
> Là, là! Tu parles pus de ça à personne,
> c'est-tu clair? On va régler nos
> problèmes ent' nous autres.

Silence.

> GERVAIS
> Qu'est-ce qu'y dit de ça, le curé?

> LAURIANNE
> Il dit que c'est péché, oui, mais que
> c'est pas la fin du monde. Y'est pas tout
> seul de même. Le péché est dans l'acte,
> qu'il dit, pas dans la tendance.

                    GERVAIS
Regarde qui c'est qui parle! Y'en a
d'l'air d'une tendance dans sa soutane.

                    LAURIANNE
Commence pas. Il dit qu'il connaît un
prêtre qui est ben bon avec les jeunes.

                    GERVAIS
Laisse faire. C'est pas d'un prêtre qu'y
a de besoin. J'te le dis, des fois, je me
demande qu'est-ce qu'on fait là... à
prier un gars aux cheveux longs... qui
fait juste s'entourer de gars... qui se
promènent toutes en jaquette. C'est
louche!

                    LAURIANNE
Franchement.

                    GERVAIS
Pourquoi est-ce qu'y'a pas de femme
prêtre? Ils commencent à m'énerver eux
autres.

Laurianne lève les yeux au ciel.

                    GERVAIS
On va tout de suite y régler son
problème. Parce que le problème, y'est
là.

Gervais se tape la tempe du doigt.

                    GERVAIS
C'est dans la tête, ça. Quand t'es pas
normal, tu vas te faire soigner. Ceux qui
sont de même sont pas nés de même. Ils le
sont devenus. Fait que c'est à nous
autres à voir à ce que notre gars le
devienne pas. La nature, elle, se trompe
pas. Elle fait pas entre les deux. C'est
un gars ou une fille. *That's it.* J'suis
prêt à lui payer un psychologue si y
faut.

Laurianne n'en croit pas ses oreilles.

                              GERVAIS
        Notre gars, c'est un gars. J'ai pas mis
        une tapette au monde, c'est pas vrai. Si
        y a des idées de même dans 'tête, on va y
        enlever tu-suite.

Gervais est pompé. Il se brosse les dents de façon plus
agressive. Il s'interrompt, grimace et crache dans le
lavabo.

                              GERVAIS
        Faut-tu être malade! Passer sa vie à se
        tremper le pinceau dans une paire de
        fesses.

Il crache à nouveau.

                              LAURIANNE
        T'as la mémoire courte, je te ferai
        remarquer.

Gervais ne comprend pas tout de suite...

                              GERVAIS
        Nous autres, c'était pas pareil. Pis on
        l'a essayé juste une fois.

                              LAURIANNE
        Une fois?

                              GERVAIS
        Une fois ou deux, j'me souviens pas...

                              LAURIANNE
        Ben moi, j'm'en souviens.

Laurianne s'en va et laisse Gervais en plan.

95   <u>CHAMBRE DES PARENTS – BUNGALOW BEAULIEU</u>   95

Laurianne se glisse sous les couvertures. Gervais est
sur le point de la rejoindre quand tout à coup la porte
de leur chambre s'ouvre brusquement laissant apparaître
un Zac essoufflé.

                              ZACHARY
                           (à son père)
        J'veux pas rencontrer personne,
        j't'avertis. Tu me verras pus jamais la

face si tu m'obliges. J'en ai pas de
problème, c'est-tu clair?

Zac disparaît aussitôt. Laurianne et Gervais s'échangent
un regard surpris.

96   INT./EXT. JOUR – CHRYSLER EN MOUVEMENT (1976)   96

Zac est assis sur la banquette avant, le plus loin
possible de Gervais qui conduit en silence laissant sa
chanteuse préférée égayer l'atmosphère. Zac ferme
soudainement la radio au grand étonnement de Gervais.

97   INT. JOUR – BUREAU DU THÉRAPEUTE (1976)   97

Zac s'amuse à faire tourner un globe terrestre. Il est
assis devant un thérapeute qui écoute avec toute sa
science.

                    ZACHARY
        Il capote pour rien. Il s'est rien passé.
        Il m'a pas touché. Je l'ai pas touché. On
        faisait ça chacun de notre bord. Y'a rien
        là.

Zac fait tourner le globe terrestre. Long silence.

                    THÉRAPEUTE
        Pourquoi avoir fait ça ensemble, d'abord?

Zac hausse les épaules. Un autre long silence.

                    THÉRAPEUTE
        Ça t'excitait de le regarder?

Zac est agacé par la question.

                    ZACHARY
        Je l'ai pas regardé.

Duel de regards.

                    ZACHARY
        J'ai-tu d'l'air d'un fif? J'parle-tu sur
        le bout de la langue? Je me promène-tu
        avec des plumes dans le cul?

Le thérapeute est amusé. Il attend que Zac en rajoute
mais c'est le silence.

> THÉRAPEUTE
> T'as une belle image des homosexuels. Ils
> sont pas tous comme ça.

> ZACHARY
> Ils le deviennent toutes, tôt ou tard. On
> perd notre temps. J'suis pas une tapette.

Le thérapeute est tout ouïe et ne semble pas pressé de
prendre la parole, ce qui rend Zac mal à l'aise et le
pousse à en rajouter après un autre silence.

> ZACHARY
> J'aimerais mieux mourir que d'en être
> une.

Zac ne se rend pas compte de la portée de ses paroles,
le thérapeute, oui. Il fronce légèrement les sourcils,
assez pour faire comprendre à Zac qu'il vient peut-être
de commettre une erreur.

> ZACHARY
> C'est une façon de parler. C'est évident,
> non? Entre vivre heureux pis en santé ou
> malheureux pis *fucké*, le choix est clair.

Zac continue son discours mais sa voix se transforme et
devient bientôt celle de Gervais.

> ZACHARY
> (avec la voix de Gervais)
> Ils sont malheureux, ce monde-là, ils
> font rire d'eux autres toute leur vie,
> y'ont pas de famille, pas d'enfants.
> C'est pas une vie.

Zac s'allume une cigarette... à la façon de Gervais.

98   INT./EXT. JOUR – CHRYSLER EN MOUVEMENT (1976)   98

Gervais tire une bouffée de sa cigarette. Il conduit sa
voiture en regardant souvent en direction de Zac qui,
lui, regarde à l'extérieur. Un gros chaudron sépare les
deux hommes sur la banquette avant.

> GERVAIS
> Pis?

Zac laisse passer de très longues secondes.

                    ZACHARY
Un acte manqué.

                    GERVAIS
Hein?

                    ZACHARY
Il dit que j'ai fait exprès de faire ça
dans ton char pour que tu me pognes, pour
que tu découvres que j'suis fif pis que
tu l'acceptes, pour que là moi je
l'accepte.

Gervais met les freins. Il réfléchit longuement.

                    GERVAIS
Vingt-cinq piasses pour se faire dire des
niaiseries de même! Ça se peut-tu! Tu
l'as pas cru, j'espère?

Zac hoche la tête, un sourire en coin triomphant aux
lèvres.

                    GERVAIS
Un acte manqué! Tu vas voir, il va pas
manquer de me rembourser, lui, cré-moi.

Gervais redémarre. Il klaxonne.

                    GERVAIS
Envoye le branleux, avance.

99   EXT. JOUR – RUE DE QUARTIER DÉFAVORISÉ (1976)   99

La voiture de Gervais est immobilisée dans la rue
résidentielle de Raymond, stationnée derrière le
corbillard de Pat.

100   INT./EXT. JOUR – VOITURE DE GERVAIS (1976)   100

Gervais et Zac sont intimidés par la pauvreté du
quartier.

                    GERVAIS
Veux-tu aller lui porter? Il serait
content de te voir. Il t'en veut pus, ça
fait longtemps.

Zac répond spontanément d'un signe de tête négatif.
Gervais prend son chaudron et son courage à deux mains.

PDV de Zac sur le deuxième étage de l'immeuble : Raymond
apparaît derrière une porte, ivre. Le fils est très
heureux de voir son père et l'invite à entrer. Gervais
décline poliment l'offre en pointant Zac du doigt. Doris
apparaît derrière la porte. Elle n'a pas le temps de
saluer son beau-père que Raymond lui remet le chaudron
et lui fait signe, bêtement, de rentrer. Gervais
descend. Raymond suit son père.

> RAYMOND
> Salut le frère.

Zac baisse la vitre. Raymond vient s'appuyer contre la
portière et dépeigne amicalement Zachary. Gervais
reprend sa place derrière le volant et met le moteur en
marche.

> RAYMOND
> Ah j'oubliais, P'pa ! Peux-tu me prêter un
> peu d'argent? J'ai pas eu le temps de
> changer un chèque. J'vas te le remettre
> demain.

Gervais fixe le tableau de bord. Après une longue
hésitation, le père sort un billet de 20$. Raymond est
déçu.

> RAYMOND
> C'est mieux que rien. À 'prochaine.

Gervais salue Raymond d'un signe de tête et démarre
lentement. Zac pose un regard compatissant sur son père.
Les deux hommes s'enferment dans un silence morose.

101 <u>INT. NUIT - MAGASIN DE DISQUES D'OCCASION (1976)</u>   101

La porte s'ouvre sur Zac qui entre en coup de vent,
couvert de neige. Il se secoue, se dirige vers un
présentoir de disques et se met à chercher. Il fait
passer un à un les microsillons du présentoir, tous de
style country dont la plupart de Patsy Cline. Déçu de ne
pas avoir trouvé, il regarde ailleurs et aperçoit, au
bout d'une allée, Paul, qui cherche des disques devant
un autre présentoir. Zac le suit des yeux, nerveux, et
s'en va.

102 EXT. NUIT - RUE DU CENTRE-VILLE # 1 (1976)   102

Une tempête de neige s'est levée. Zac ne porte ni
chapeau, ni foulard, ni gants. Il attend dans un
abribus, impatient et agacé par sa respiration qui lui
fait défaut et par les pleurs d'un bébé qu'une femme
tient dans ses bras derrière lui. Puis il se décide: il
ferme les yeux et se met à remuer les lèvres en silence.
Après quelques secondes, le bébé cesse de pleurer. Zac
ouvre les yeux et les lève au ciel. Un temps pendant
lequel il semble désemparé. Il prend sa pompe, la
regarde longuement et la laisse tomber dans la neige
avant de quitter l'abribus en vitesse. On le voit
disparaître de dos dans la tempête, la tête haute,
bravant le froid et la neige qui lui fouettent le corps.

103 EXT. NUIT - RUE RÉSIDENTIELLE - PLUS TARD   103

Zac est couvert de neige. Il s'obstine à marcher dans la
tempête. Son rythme est lent, sa respiration haletante,
mais son regard toujours aussi implacable, aussi résolu.

104 EXT. NUIT - AUTRE RUE ACHALANDÉE - PLUS TARD   104

PDV en plongée verticale au-dessus d'un lampadaire
défectueux qui scintille. La caméra amorce un mouvement
vers le bas à travers des rafales de neige pour nous
faire découvrir des traces de pas solitaires.

105 INT. NUIT - CHAMBRE DE ZAC & YVAN - BUNGALOW BEAULIEU (1976) 105

Zac s'adosse contre la porte de sa chambre qui se
referme. Sa respiration est dangereusement déficiente.
Ses cheveux, sourcils et cils sont de glace. Ses mains
sont bleues, tordues par le froid. Malgré son état, il
arrive à bouger les lèvres, à esquisser un sourire, à
rire même, d'un rire silencieux. Puis, d'un geste lent,
sa main droite fait le signe de la croix, tandis que son
visage se défait progressivement, laissant sortir de
petits sanglots qui lui secouent les épaules. Les voix
angéliques d'un chœur d'enfants se font entendre. Elles
soutiennent une note aiguë, mystérieuse, nous laissant
croire à une imminente intervention divine. Zac se
laisse glisser au sol. On ne voit plus maintenant que la
porte qui se fond bientôt à...

106   INT. NUIT - HALL - APPARTEMENT DE ZAC (1980)   106

... une autre porte.

La note aiguë se transforme en un air connu, celui de
Minuit Chrétien.

ZAC, 20 ans, apparaît par le bas du cadre et s'adosse
contre la porte. Il est vêtu d'un manteau d'hiver. S'il
avait des tatouages et des cicatrices, on jurerait qu'il
s'agit de Raymond. La bouche grande ouverte, il semble
parfois accompagner le chœur d'enfants qui, dans une
montée en crescendo, atteint bientôt son plus haut
sommet: « *Peuple à genoux* ». Il échappe alors un cri de
jouissance. Puis il reprend calmement son souffle
lorsqu'une crinière brune apparaît par le bas, celle de
MICHELLE, 20 ans. Les années de plus et les livres en
moins lui vont à merveille. TITRE : NOËL 1980.

                          MICHELLE
          Bonne fête.

La porte s'ouvre accidentellement derrière eux.

107   EXT. NUIT - APPARTEMENT DE ZACHARY (1980)   107

La porte du deuxième étage d'un immeuble à appartements
s'ouvre. Zac et Michelle sortent en déséquilibre. Ils
ferment la porte et descendent l'escalier en se
bidonnant.

108   INT. NUIT - ÉGLISE - (1980)   108

La famille Beaulieu est assise dans la dernière rangée
d'une église clairsemée de fidèles. Gervais, 55 ans, se
tourne vers l'entrée, regarde sa montre puis revient à
la cérémonie. Un JEUNE PRÊTRE accompagne la chorale.

109   INT. NUIT - SALON - BUNGALOW BEAULIEU - (1980)   109

Deux chandelles à la forme du chiffre vingt brûlent sur
un gâteau au chocolat. Zac s'en approche et s'allume une
cigarette à partir de la flamme des chandelles. L'air
amusé, il regarde les membres de sa famille réunis
autour de la table de salon.

Tous sont amusés par la performance de Gervais. Debout,
une cuillère à la main qu'il tient comme un micro, le
père chante, *a capella*, «*Hier encore...*»

> GERVAIS
>
> *... j'avais 20 ans, je gaspillais le*
> *temps en croyant l'arrêter [...] et*
> *donnais mon avis que je voulais le bon,*
> *pour critiquer le monde avec*
> *désinvolture...*
>
> (à Zac)
> On dirait qu'il l'a écrit pour toi.

Zac lance amicalement sa serviette de table à la figure
de Gervais. Le père fait le tour de la table en chantant
de plus belle. Sur son passage, il caresse les cheveux
plus grisonnants de Laurianne, 54 ans; dépeigne ceux de
Raymond le voyou, 27 ans, qui sirote un coca, alors que
Doris lui caresse distraitement la nuque; retire un
livre des mains de Christian l'aîné, 29 ans; vole la
casquette de base-ball d'Antoine le sportif, 26 ans;
donne une tape derrière la tête d'YVAN le grassouillet,
14 ans; et tend finalement son micro-cuillère devant la
bouche de Zac.

Celui-ci se lève et accompagne son père. On croirait
voir deux grands amis, deux grands complices.

> ZACHARY & GERVAIS
>
> *... Où sont-ils à présent, à présent, mes*
> *20 ans?*

Les chanteurs tiennent la note finale en se fixant dans
les yeux. Ceux de Gervais pétillent de fierté.

On applaudit et siffle. Le père fait une prise de tête
amicale à son fils. Zac a aussitôt le réflexe de
regarder en direction de Raymond qui s'allume une
cigarette avec un briquet zippo chromé. Ses bras musclés
ont pris de la couleur avec les années: ils sont
maintenant complètement couverts de tatouages.

Laurianne remet à Zac un cadeau emballé d'un papier qui
n'a absolument rien de Noël. Zac embrasse sa mère et
s'approche du gâteau. Les flammes des chandelles
scintillent dans ses yeux. Il souffle.

110   <u>CUISINE - BUNGALOW BEAULIEU - PLUS TARD</u>   110

Laurianne et Michelle sont à l'écart à couper le gâteau,
tandis que les autres discutent en buvant du vin.
Gervais montre de vieux microsillons à Zac tandis que
celui-ci s'amuse à faire des ronds de fumée.

> LAURIANNE
> (désignant Zac)
> Ça fait longtemps que je l'ai vu avec une
> pompe, lui?

Michelle se retient pour ne pas parler puis se décide
enfin:

> MICHELLE
> (sur le ton de la confidence)
> Y'en a pus.

Laurianne n'en croit pas ses oreilles. Michelle lui fait
signe que c'est bien vrai.

> LAURIANNE
> Depuis quand?

> MICHELLE
> Pas loin d'un an, j'pense.

> LAURIANNE
> Pis il nous l'a pas dit?

Michelle s'en veut d'avoir parlé. Elle s'éloigne avec
des assiettes.

> MICHELLE
> J'ai rien dit, o.k.?

111   <u>SALON - BUNGALOW BEAULIEU - SUITE</u>   111

Les deux femmes déposent les assiettes de gâteau sur la
table. Christian se lève et demande à Corinne d'en faire
autant.

> CHRISTIAN
> Bon, ben... c'est l'heure de la nouvelle!
> (à Zac)
> Excuse-moi, le frère, j'veux pas te voler
> le show mais ça sera pas long.

Tous les yeux se rivent sur le jeune couple.

CHRISTIAN
On se marie!

Doris se lève d'un bond et applaudit. Elle se jette dans les bras de Corinne devant les regards amusés de tous, sauf Raymond.

DORIS
Oh my God! Bravo!

Laurianne va embrasser Christian et sa future bru. Gervais et ses fils l'imitent. Manifestation de joie de la part de tous.

GERVAIS
On sort un autre bouteille, baptême!

DORIS
(à Raymond)
Un mariage double, pitou, ça serait-tu
assez beau?

RAYMOND
Assis-toi pis ferme ta yeule, hostie!
T'as d'l'air d'une vraie folle.

Doris prend son trou comme un chien battu. Un malaise s'installe. Raymond boit son verre de coca en reniflant à quelques reprises.

ZACHARY
(à Doris)
Envoye-le donc chier!

Raymond reste surpris par l'affront de Zac.

RAYMOND
Ta yeule, le fif!

Gervais ne la trouve pas drôle. Michelle non plus.

MICHELLE
(à Raymond)
Ferme-la donc, toi, ta yeule!

Zac fait signe à Michelle de se calmer devant les regards stupéfaits de tous.

>   ZACHARY
>   (à Raymond, très calme)
>   Il me semble que tu renifles souvent pour
>   un gars en désintox!

Gervais se tourne vers Zac, celle-là non plus n'est pas
drôle. Tous semblent complètement dépassés par ce
soudain changement d'ambiance.

>   NARRATEUR (V.O.)
>   Deux sujets étaient devenus tabous à la
>   maison: moi et Raymond.

>   RAYMOND
>   Ça rend baveux manger des graines.

>   GERVAIS
>   Ça va faire!

>   ZACHARY
>   Tu devais avoir le cul au vif quand t'es
>   sorti de prison?

Raymond affiche un sourire moqueur.

>   NARRATEUR (V.O.)
>   Il en avait pris pour un an pour avoir
>   massacré un pauvre «junky» qui avait
>   tenté de lui voler sa «coke».

>   RAYMOND
>   T'aurais aimé ça être à ma place, hein?

>   LAURIANNE
>   C'est assez, là!

Raymond prend un air efféminé pour se moquer de son
frère. Zac en rit. Il prend le temps de savourer une
gorgée de vin comme un dégustateur et lance soudainement
le reste de son verre au visage de Raymond.

Les frères bondissent de leur siège pour tenter de
calmer Raymond qui vient littéralement de se transformer
en diable de Tasmanie. Un effet de ralenti nous procure
la plaisante sensation d'assister à un ballet...
burlesque.

NARRATEUR (V.O.)
Que la vie était belle et agréable en
être heureux et épanoui que j'étais
devenu.

112   INT. NUIT - CHAMBRE - APPARTEMENT DE ZACHARY (1980)   112

EXTRÊME GROS PLAN des visages de Zac et de Michelle, en
sueur, qui atteignent l'orgasme en criant de plaisir.

113   INT. JOUR - CHAMBRE - APPARTEMENT DE ZACHARY (1980)   113

Zac se réveille. Il reste étendu un moment à regarder
Michelle qui dort. Il se lève, passe devant une
collection de disques impressionnante et, sans faire de
bruit, ouvre un tiroir duquel il sort une pompe. Il
vérifie si Michelle dort puis prend une bouffée. Il
remet la pompe au fond du tiroir, bien cachée, quand
soudain le téléphone sonne.

114   SALON/CUISINE - APPARTEMENT DE ZACHARY - SUITE   114

Zac est au téléphone.

                    ZACHARY
         Oui, je dormais. (...) C'est correct.
         (...) Ah! M'man!

Zac écoute sa mère en hochant la tête. Un temps.

                    ZACHARY
         Oui. C'est ça. (...) Ok, bye. (...)
         Rappelle-moi pas pour me dire qu'elle a
         arrêté de saigner, là. (...) Elle va
         arrêter, *anyway*, que je pense à elle ou
         non (...) Bye.

Zac raccroche et se dirige vers le comptoir de la
cuisine où il se prépare un café. Après quelques
secondes, il interrompt son rituel du matin et reste
immobile comme une statue, dos à nous. Un temps. Le
moment est étrange.

Zac se croise les mains derrière la nuque. Après
quelques secondes, il remue les doigts subtilement là où
se trouve sa mèche de cheveux décolorés.

> NARRATEUR (V.O.)
> Si j'avais bel et bien des dons, à force
> de Lui rendre service, peut-être allait-
> Il un jour m'exaucer.

115   EXT. JOUR - ENTRÉE DE GARAGE - BUNGALOW BEAULIEU (1981)   115

Explosion d'un jet d'eau.

C'est au tour d'Yvan le rondelet, 14 ans, de laver la
voiture de Gervais: une flamboyante Chrysler 81
stationnée devant une vieille Chrysler 75. À l'exception
de la rouille, la voiture est identique à celle dans
laquelle Zac s'est fait surprendre en compagnie de Toto.

Zac fait son arrivée, à pied. Il salue son frère d'un
signe de tête et regarde longuement la Chrysler 75.

> ZACHARY
> (pointant la vieille voiture)
> Avoir su, je serais pas venu aujourd'hui.

Yvan affiche un sourire espiègle.

> YVAN
> J'pense que... tu viendras pus souvent.

116   INT. JOUR - CUISINE - BUNGALOW BEAULIEU - PLUS TARD   116

Laurianne, Gervais et Zac sont assis autour de la table
devant des cafés. Ils chuchotent par-dessus une musique
sourde qui provient du sous-sol, une musique rock qui
rappelle Raymond.

> GERVAIS
> C'est juste pour une couple de semaines,
> qu'y dit... le temps de se refaire les
> poches.

> LAURIANNE
> De vider les nôtres, tu veux dire.

> GERVAIS
> En tout cas, y'a l'air décidé. Je l'ai
> jamais vu de même. J'pense qu'y veut
> vraiment s'en sortir.

Laurianne ne semble pas de l'avis de son mari. On entend
des pas monter un escalier.

                         GERVAIS
                 (à Zac, encore plus bas)
        S'il te plaît, fais un effort. Ton frère
        a besoin d'aide.

Tous se taisent lorsque la porte menant au sous-sol
s'ouvre. Raymond apparaît, torse nu.

Gervais feint de poursuivre une conversation.

                         GERVAIS
           Michelle va ben, comme ça!

                        ZACHARY
           J't'ai ramené tes disques.

Zac retire de son sac des microsillons qu'il remet à
Gervais au moment où Raymond apparaît dans la cuisine.
Il regarde longuement Zachary et lui sourit.

                        RAYMOND
        Long time no see.

Laurianne se lève.

                       LAURIANNE
           Veux-tu un café?

                        RAYMOND
           C'est correct, M'man. J'vas me le faire.
                    (à Zac)
           Qu'est-ce tu fais de bon?

                        ZACHARY
           La routine. Les cours, la job.

                         GERVAIS
                 (à Zac, désignant les disques)
           Pis? Y'ont-tu pogné?
                        (à Raymond)
           Ton frère fait jouer mes vieilles
           affaires à son club où il travaille, ça
           se peut-tu?

Raymond feint d'être intéressé. Le téléphone sonne.
Laurianne va répondre.

                        RAYMOND
           Si c'est la folle, j'suis pas là.

                    LAURIANNE
                 (au combiné)
        Allô. (...) Y'est occupé, y peut-tu te
        rappeler?

                    RAYMOND
        C'est-tu elle?

Laurianne fait signe à Raymond de se taire et raccroche.

                    LAURIANNE
        C'était pour Yvan.

Laurianne retourne au comptoir et s'occupe à sortir des
chaudrons des armoires puis à les ranger comme si son
seul but était de faire du bruit.

                    LAURIANNE
        C'est Doris que tu traites de folle?

Raymond ne répond pas et regarde sa mère, surpris.

                    LAURIANNE
        Elle a été folle de t'endurer pendant six
        ans, ça, oui.

Raymond encaisse en silence. Gervais et Zac s'échangent
un regard stupéfait. Après hésitation, Raymond approche
de Laurianne et l'enlace par derrière.

                    RAYMOND
        Excuse-moi, sa mère. T'en auras pas pour
        longtemps à m'endurer.

Laurianne est mal à l'aise. Elle fait un geste pour se
dégager mais Raymond continue de l'étreindre.

                    RAYMOND
        J'me suis ennuyé... de tes bonnes toasts
        au fer à repasser.

Raymond embrasse sa mère sur la joue.

                    RAYMOND
        J't'aime, sa mère.

Laurianne a un sourire instantané. Zac observe son frère
d'un œil méfiant. Gervais, d'un œil ému.

                    RAYMOND
        Y reste-tu du bacon?

Zac se lève.

> ZACHARY
>
> J'vas y aller, moi.

> GERVAIS
>
> Déjà. Veux-tu un lift?

Raymond devient nerveux.

> RAYMOND
>
> Laisse faire, P'pa, j'vas y aller.
> (à Zac)
> T'embarques-tu?

117 INT./EXT. JOUR – VOITURE DE RAYMOND (1981)   117

Zac s'allume une cigarette et remet le briquet zippo
chromé à Raymond qui est assis derrière le volant, une
cigarette au bec. Un temps. Un malaise.

> RAYMOND
>
> C'est disco?

> ZACHARY
>
> Pas juste disco. J'fais jouer un peu de
> toute, tout ce qui peut surprendre.

> RAYMOND
>
> J'vas aller te voir un moment donné.
> J'vas faire une exception... J'bois pus,
> ça fait que... j'évite les bars.

Zac acquiesce.

> RAYMOND
>
> J'bois pus, j'fume pus, je sacre pus.
> Christ, j'ai oublié mon sac de pot à
> 'taverne.

Raymond se trouve drôle. Zac sourit.

> ZACHARY
>
> Tu peux me laisser au coin, là.

Raymond ralentit et se gare.

> RAYMOND
>
> Écoute... je sais que j'ai pas toujours
> été correct avec toi...

Zac a la main sur la portière, prêt à partir. Un long silence.

> RAYMOND
> J'ai besoin d'argent.

Zac fixe l'horizon, déçu.

> RAYMOND
> J'vas te le remettre, j'sais pas quand,
> mais c'est sûr que j'vas te le remettre.

> ZACHARY
> Tu me d'mandes ça à moi?

> RAYMOND
> Le bonhomme se vante que son p'tit
> chouchou gagne plus que lui.

Zac n'en croit pas ses oreilles.

> ZACHARY
> Si y'a un p'tit chouchou icitte, c'est
> pas moi.

> RAYMOND
> Fais pas chier. J'suis dans 'marde.

> ZACHARY
> J'serais millionnaire, j'te passerais pas
> une christ de cenne.

Zac sort de la voiture.

> RAYMOND
> *Come on!* Christian pis Antoine m'en ont
> prêté. Même bouboule m'a flyé un vingt.

Zac ferme la portière et s'éloigne.

> RAYMOND
> Envoye! Va-tu falloir que je te fasse un
> *blow job*?

Zac s'arrête et dirige un regard dégoûté vers son frère. Raymond lui sourit malicieusement en désignant la banquette arrière puis fait crier les pneus.

118   EXT. JOUR - RUE DU CENTRE-VILLE - SUITE   118

PDV de Zac sur la voiture de Raymond qui décolle à toute
vitesse.

                    ZACHARY
          C'est ça, va te tuer.

Zac s'éloigne. Après quelques pas, il s'arrête et
regarde la voiture de Raymond s'éloigner... d'un air
confus, désolé.

119   INT. NUIT - CHAMBRE DES PARENTS - BUNGALOW BEAULIEU (1981)   119

Gervais et Laurianne se réveillent, éclairés par les
phares d'une voiture qui s'approche et s'arrête. Ils
restent immobiles à écouter la musique qui joue à tue-
tête de la voiture.

La musique s'éteint, les phares aussi. Gervais hoche la
tête.

120   SALON - BUNGALOW BEAULIEU - SUITE   120

Raymond entre en prenant soin de ne pas faire de bruit.

Gervais apparaît, en peignoir, une enveloppe à la main.

                    RAYMOND
          T'es pas couché?

                    GERVAIS
          Y'avait une enveloppe pour toi dans la
          porte, à soir.

Gervais lui remet l'enveloppe. Raymond la regarde
longuement, intrigué, et prend la direction du sous-sol.

Gervais renifle l'air, discrètement, l'œil soupçonneux.

121   SOUS-SOL - BUNGALOW BEAULIEU - SUITE   121

Raymond ouvre l'enveloppe et en sort plusieurs billets
de 20$. Il inspecte l'enveloppe, la sent, sourit et
s'émeut, véritablement.

122   <u>INT. JOUR - SALON/CUISINE - APPARTEMENT DE ZACHARY (1981)</u>   122

Zac apparaît dans le salon en sous-vêtements. Il vient de se lever, visiblement. Ses cheveux, ses yeux et son air en témoignent. Il marche d'un pas endormi quand soudain il s'accroche les orteils dans sa batterie. Il s'arrête et retient un cri de douleur. Il respire par le nez, marche jusqu'au comptoir de la cuisine, commence à se préparer un café puis, tel un fou pris d'une rage soudaine, défonce le mur devant lui d'un coup de poing. L'impact fait tomber un cadre qui dissimulait un autre trou dans le mur. Impassible, Zac regarde ses jointures saigner. Une goutte de sang tombe AU RALENTI dans la paume de son autre main.

123   <u>EXT. JOUR - ÉGLISE (1981)</u>   123

Gervais, Antoine, Yvan et Zac, tous vêtus de smokings, observent, en retrait, un photographe qui prend des clichés des mariés, Christian et Corinne, devant une superbe Cadillac Coupe de Ville 1970 décorée pour les circonstances. À côté des hommes, Michelle arrange la fleur à la boutonnière de Laurianne. Le photographe change d'objectif. Zac sort de sa poche une cassette de musique et la lance au marié.

> ZACHARY
> J't'ai fait une cassette si tu veux que
> le party lève. Tu donneras ça au DJ.

> YVAN
> (à Gervais)
> J'suis-tu obligé de mettre ça?

Yvan montre le nœud papillon à son cou.

> ANTOINE
> Moi aussi, j'aimerais ça l'enlever.

> GERVAIS
> Mes grands sans dessins, vous autres. Un
> tuxedo sans nœud papillon, c'est pas un
> tuxedo. On est toute habillé pareil.
> C'est ça qui est beau!

Raymond arrive, la pupille brillante de façon suspecte, escorté d'une jeune Asiatique, MIN, à laquelle Gervais et ses fils, surpris, sourient poliment.

> GERVAIS
> Où t'étais toi?

Raymond tend une poignée de main à tous ses frères. Zac la prend avec méfiance et a raison. Raymond saute sur lui et lui fait une prise de tête. Zac tente de se dégager. Raymond est amusé par la vigueur de son frère.

> GERVAIS
> Raymond, baptême !

> RAYMOND
> (à Zac, chuchotant)
> J'vas te le remettre.

Raymond embrasse Zac sur le front, lâche prise et, tout souriant, lui fait un clin d'œil. Gervais n'y comprend rien.

124   EXT. JOUR – ÉGLISE – PLUS TARD   124

FLASH. Une série de photos défile rapidement nous montrant Gervais, Laurianne, Zac, Michelle, Antoine, Yvan, Raymond et sa compagne, posant tour à tour avec Christian et Corinne. La fierté de Gervais est à son paroxysme lorsqu'il pose avec ses cinq fils, tous en smokings noirs. Un orage éclate.

125   INT. JOUR – SALLE DE RÉCEPTION (1981)   125

Les 150 INVITÉS présents cognent simultanément leurs ustensiles sur leurs coupes de vin. À la table d'honneur où sont tous assis les Beaulieu, les mariés se lèvent et s'embrassent. Christian se laisse aller et devient même un peu osé au grand étonnement de Gervais qui ne reconnaît pas là son fils, mais qui profite tout de même de l'occasion pour lancer son éternel...

> GERVAIS
> Il retient de son père !

On crie, on siffle, on rit, on applaudit. Les mariés se rassoient. Raymond cogne à nouveau sur son verre de coca. Il est le seul à le faire. Léger malaise autour de la table d'honneur que Zac fait aussitôt disparaître en imitant Raymond et en invitant tout le monde à les suivre. Ce qui fonctionne.

Les mariés se relèvent et s'embrassent à nouveau.

Parmi les invités, la cousine BRIGITTE, 20 ans, regarde les mariés avec envie. Son escorte, PAUL, 23 ans, dont on reconnaît le grain de beauté, regarde Michelle de la même façon.

126   <u>SALLE DE RÉCEPTION - UN PEU PLUS TARD</u>   126

La piste de danse est pleine à craquer. Deux danseurs se distinguent des autres : Brigitte et Paul. Michelle les regarde, en retrait, un verre à la main. Zac arrive auprès d'elle.

> MICHELLE
> Elle est rendue avec les fesses aussi
> grosses que les boules.

Zac jette un œil en direction du DJ.

> ZACHARY
> Il va-tu la faire jouer ma cassette, le
> câlice?

Zac surprend Yvan à caler un verre de vin en cachette. La danse prend fin. Paul et Brigitte les rejoignent.

> BRIGITTE
> (à Zac)
> Tu danses pas?

> ZACHARY
> J'attends ma « toune ».

La voix de Gervais se fait entendre des haut-parleurs, chantant Aznavour, au grand malheur de Zac.

> ZACHARY
> On va-tu en fumer un dehors?

> BRIGITTE
> T'es ben pas fin. Y'est super bon,
> mononcle Gervais. Allez-y, vous autres.
> Moi pis Michelle, on va se parler ent'
> filles!

Brigitte passe son bras sous celui de Michelle et l'entraîne vers le bar. Paul prend la direction de la sortie. Zac le suit.

Sur la scène, Gervais chante de tout cœur. Il aperçoit Zac et Paul franchir la porte de sortie.

127 INT./EXT. NUIT - VOITURE - STATIONNEMENT (1981)   127

Il pleut. À travers un pare-brise mouillé, on arrive à voir Zac et Paul qui courent se réfugier dans une voiture. Il s'agit du PDV de Raymond. Il ne peut s'empêcher de sourire. Une main de femme lui tend un billet d'un dollar roulé sur lui-même.

                    MIN
          Qu'est-ce qu'y a de drôle?

Raymond se fout le billet dans le nez et renifle une ligne de poudre en tendant une flasque d'alcool à sa compagne.

128 INT./EXT. NUIT - VOITURE DE PAUL - STATIONNEMENT (1981)   128

Zac et Paul fument un joint dans une petite Toyota.

                    PAUL
          Elle est fine, ta blonde.

Zac acquiesce d'un signe de tête et passe le joint à Paul.

                    PAUL
          Elle est cute aussi.

Paul prend une bouffée.

                    PAUL
          Veux-tu un *shot*?

Zac accepte sans la moindre hésitation. Paul s'exécute.

129 INT./EXT. NUIT - VOITURE DE RAYMOND - STATIONNEMENT (1981)   129

Raymond fait fonctionner les essuie-glaces pour mieux suivre l'action. Il voit bien que Zac et Paul ne s'embrassent pas mais n'attend que ce moment avec un large sourire. Son regard est soudain attiré vers

l'oncle Georges qui marche à pas rapides sous la pluie.
Il ralentit en apercevant Zac et Paul.

130 EXT. NUIT - STATIONNEMENT (1981)   130

Du point de vue de Georges, à travers le pare-brise
mouillé de la Toyota, Zac et Paul ont l'air de
s'embrasser. Georges, lui, a l'air embarrassé. Il
continue son chemin à l'insue de Zac et Paul.

131 INT./EXT. NUIT - VOITURE DE RAYMOND - STATIONNEMENT (1981) 131

Raymond a tout vu et se bidonne. Son PDV nous montre Zac
et Paul qui sortent de la voiture et qui courent à
l'intérieur.

132 INT. NUIT - SALLE DE RÉCEPTION (1981)   132

Zac et Paul s'aventurent sur une piste de danse pleine à
craquer. Les mariés et leurs invités dansent en ligne
sur la chanson *Brother Louie*. Le tableau est rigolo. Zac
et Paul se bidonnent en essayant, en vain, de tenir le
pas. Ils rejoignent Brigitte et Michelle. Zac surprend
Yvan à mettre une main sur les fesses d'une cousine.

133 BAR - SALLE DE RÉCEPTION   133

Raymond arrive au bar, le sourire aux lèvres, une gomme
à la bouche. Sa compagne continue son chemin vers les
toilettes.

Brother Louie prend fin pour laisser place à une musique
plutôt inusitée pour un public de noce: *Fame* de Bowie.
Raymond bouge la tête au rythme de la musique.

                        RAYMOND
                    (au barman)
        Un coke.

Gervais arrive et s'installe à côté de son fils.

                        GERVAIS
        La même chose.
                    (à Raymond)
        J'suis fier de toi, mon gars.

Le barman leur sert leurs boissons gazeuses. Gervais cache mal sa déception lorsqu'il remarque que son fils mâche une gomme, tout souriant.

GERVAIS
Qu'est-ce qui a de drôle?

RAYMOND
Rien.

Raymond évite le regard de son père. La voix d'un homme attire leur attention.

L'HOMME (H.C.)
Queue bandée, pas de parenté.

Raymond et Gervais regardent simultanément en direction de l'homme, qui se tient debout dos au bar, en compagnie de Georges. Ils ne sont pas conscients de la présence de Gervais et de Raymond.

Le père et le fils suivent le regard de l'homme jusqu'à la piste de danse où ils aperçoivent Zac qui danse devant Brigitte de manière très suggestive, en lançant des coups d'œil furtifs en direction de Paul qui, lui, danse avec Michelle.

GEORGES (H.C.)
C'est pas la cousine qu'y cruise, c'est son chum. Je les ai pognés en train de « frencher » dans le parking.

Gervais perd la face. Raymond aussi.

L'HOMME
Pas sérieux?

Tous regardent en direction de Zac à l'exception de Raymond qui, lui, observe la réaction de son père.

L'HOMME
Comme ça c'est vrai, le p'tit est fif.

Gervais n'entend plus rien sinon qu'un vague bourdonnement musical, sourd et lointain. Il marche comme un zombie en direction de la piste de danse en passant devant Georges et son confrère qui éprouvent aussitôt un profond malaise.

PDV de Gervais sur la piste de danse : Zac continue son
jeu de séduction. Gervais regarde son fils avec du feu
dans les yeux.

Puis, tout à coup, un bruit de verre éclate. Gervais se
tourne en direction du bar et constate l'horreur :
Raymond cogne comme un déchaîné sur l'homme puis sur
Georges qui tente de se porter à la rescousse. Gervais
accourt. Le jeune prêtre arrive avant lui. Raymond ne se
maîtrise plus. Il cogne le prêtre qui se retrouve au
sol. Gervais intervient à son tour, aidé de quelques
INVITÉS. Antoine réussit à maîtriser Raymond et à
l'éloigner.

Ensanglantés, Georges et l'homme se font amener aux
toilettes devant les regards paniqués de Christian, de
Corinne et de Laurianne qui s'amènent.

Zac arrive devant son père et l'aide à relever le jeune
prêtre, mais Gervais l'en empêche en le poussant
violemment.

                    GERVAIS
          Touche-moi pas.

Zac ne comprend pas cette soudaine explosion
d'agressivité à son endroit. Mais il reconnaît le regard
de son père. Il se souvient de ce regard de dédain. Tous
les INVITÉS l'observent, attendant la suite. Zac
s'éloigne d'un pas rapide.

                    GERVAIS
                 (aux invités)
          C'est correct. C'est un accident. C'est
          fini. Le party continue. Dansez, là.

Mais le DJ a coupé la musique. Gervais reprend son
souffle en souriant de manière forcée aux gens autour
de lui.

Zac sort de la salle de réception suivi de Michelle.

Gervais marche vers sa femme puis change d'idée et se
dirige à son tour vers la sortie.

                    GERVAIS
             (à des gens sur son passage)
          Dansez, dansez !

Laurianne ne sait plus où aller, que faire. Va-t-elle
vers Gervais qui s'éloigne, vers le marié qui se fait
calmer par sa femme, vers Antoine qui raisonne Raymond
ou vers le jeune prêtre qui saigne du nez?

134 EXT. NUIT – SALLE DE RÉCEPTION (1981)   134

Zac et Michelle sortent de l'immeuble de la salle de
réception.

> MICHELLE
> Qu'est-ce qui se passe?

Zac continue son chemin.

> MICHELLE
> Veux-tu arrêter!

Gervais les rattrape.

> GERVAIS
> (à Michelle)
> Peux-tu nous laisser, une minute?

Michelle hésite puis s'éloigne, incertaine.

Long duel de regards entre le père et le fils.

> GERVAIS
> Le jour des noces à ton frère.

> ZACHARY
> C'est Raymond qui met le trouble pis
> c'est moi qui mange la marde?

> GERVAIS
> C'est de ta faute, ce qui est arrivé. Ton
> frère voulait te défendre.

Zac ne comprend rien.

> GERVAIS
> T'étais en train de te faire traiter de
> fif!

Zac n'en croit pas ses oreilles.

> GERVAIS
> Ils t'ont vu dans le parking... avec le
> chum à ta cousine!

Zac est surpris et confus.

Michelle aussi. Elle entend tout, cachée derrière une voiture.

Longue pause pendant laquelle Zac croit deviner le quiproquo.

>   ZACHARY
>   Que c'est qu'y ont vu?

Gervais hoche la tête. Un temps. Zac a le goût de rire.

>   ZACHARY
>   C'est pas ce que tu penses.

Puis, hésitant...

>   ZACHARY
>   On fumait un joint.

Gervais semble ne rien vouloir entendre. Il est furieux.

>   ZACHARY
>   On se faisait un *shotgun,* c'est toute.

>   GERVAIS
>   Depuis que t'es haut de même que tu mens
>   comme tu respires.

Zac commence à la trouver moins drôle.

>   ZACHARY
>   Il s'est rien passé, j'te...

Il n'a pas le temps de finir sa phrase qu'il reçoit une gifle. Gervais est hors de lui, prêt à frapper de nouveau.

>   GERVAIS
>   Fais un homme de toi, pour une fois dans
>   ta vie, pis dis la vérité!

>   ZACHARY
>   Qu'est-ce tu veux que j'te dise? Que
>   j'suis fif! Que j'suis une tapette! Que
>   j'mange des graines!

Un temps. Les deux hommes sont aussi effrayés l'un de l'autre.

                    ZACHARY
      Oui, il s'est passé quelque chose! Mais
      pas avec lui!

Gervais fronce les sourcils et cherche à comprendre.

                    ZACHARY
      Tu le sais avec qui! Tantôt, il s'est
      rien passé! Mais j'aurais aimé ça en
      hostie qu'y se passe quelque chose! En
      hostie!

Gervais réagit comme s'il venait à son tour de recevoir
une gifle.

Zac aperçoit une tête apparaître derrière une voiture:
celle de Michelle. Elle est aussi sonnée que Gervais.
Zac est incapable de supporter son regard.

                    GERVAIS
      Va-t'en.

Zac n'en fait rien.

                    GERVAIS
      Va-t'en!

Un coup d'œil en direction de Michelle: elle regarde Zac
avec des yeux blessés, troublés, enragés. Zac s'en va,
penaud, en marchant d'un pas de plus en plus rapide.

Michelle s'enfuit dans la direction opposée, laissant
Gervais en plan, sous la pluie battante.

135   MONTAGE SÉQUENCE (1981)   135

      - un flash d'appareil photo éblouit le visage figé de
        Zac;
      - le téléphone sonne à l'appartement de Zac;
      - Laurianne, chez elle, au bout du fil, attend une
        réponse;
      - Gervais regarde sa femme, l'air piteux;
      - deux POLICIERS pénètrent dans l'appartement de Zac;
      - Gervais scrutent les lieux avec les policiers;
      - une photo de Zac se fait déchirer par les mains de
        Michelle;
      - une flamme chauffe une cuillère;
      - l'aiguille d'une seringue pénètre dans une veine
        tatouée;

– les pupilles de Raymond se dilatent ;
– un avion s'envole.

136   INT. NUIT – TOILETTE – AVION EN VOL – (1981)   136

Un loquet se ferme et affiche : OCCUPÉ.

La main de Zac tremble tandis qu'on l'entend vomir.

Un tourbillon d'eau nettoie la cuvette.

La mine déconfite de Zac apparaît devant un miroir. Il
affronte son image et éclate en sanglots. Il se
ressaisit, prend sa pompe, en tire une bouffée et éclate
de rire, confus.

«*Emmenez-moi au bout de la terre*», se met à chanter
Aznavour.

                    ZACHARY (V.O.)
          Excuse-moi, M'man...

137   EXT. JOUR – RUE COMMERCIALE – PAYS ÉTRANGER (1981)   137

PDV de Zac sur des mains d'hommes qui tiennent une
mitraillette. Intimidé, Zac regarde un SOLDAT et son
arme en marchant d'un pas hésitant dans une rue bondée
de PASSANTS et de commerces en tous genres. Il est
complètement dépaysé.

                    ZACHARY (V.O.)
          J'le sais que ça va te faire de la peine
          de savoir que j'suis parti...

La présence militaire le distrait à un point tel qu'il
fonce dans un présentoir à cartes postales. Un VENDEUR
l'engueule.

138   EXT. JOUR – PERRON – BUNGALOW BEAULIEU (1981)   138

La chanson d'Aznavour se poursuit tandis qu'on voit
Laurianne passer le courrier du jour en revue.

                    ZACHARY (V.O.)
          Mais je sais que tu vas être contente de
          savoir où j'suis...

Elle s'arrête sur une carte postale et la tourne pour en
lire le contenu. Son cœur se met à battre à une vitesse
folle.

                    ZACHARY (V.O.)
        Inquiète-toi pas, ton bon Dieu veille sur
        moi. Raymond m'a fait réaliser une chose,
        l'autre jour : je t'ai encore jamais dit
        « j't'aime ».

Laurianne tremble comme une feuille. Elle s'appuie
contre le mur et échappe la carte qui tombe au sol. On
s'en approche et découvre une vue spectaculaire de
Jérusalem. Cris d'incantation.

139   EXT. JOUR – VIA DOLOROSA – VIEUX JÉRUSALEM (1981)   139

Zac marche dans la Via Dolorosa (le chemin de croix).
Derrière sa barbe de quelques jours, il observe autour
de lui les centaines de TOURISTES et de PÈLERINS qui
vont et viennent, se prennent en photo et prient à voix
haute sans se soucier d'autrui. Les VENDEURS des stands
crient à tue-tête pour attirer la clientèle et vendre
leurs saintes croix.

Zac passe devant une vieille inscription gravée dans la
pierre d'un mur autour de laquelle sont recueillis des
pèlerins : « IX Station ».

                    NARRATEUR (V.O.)
        Ce petit détour en Terre Sainte, avant
        l'Europe, allait la rendre folle de joie.
        Marcher sur les pas du Christ
        m'intriguait, certes...

Zac lève les yeux. Son attention est attirée par un
touriste qui passe. Il est particulièrement beau garçon.

                    NARRATEUR (V.O.)
        ... mais je n'avais pas traversé
        l'Atlantique par excès de foi chrétienne.

Une musique techno explose à plein volume.

140   INT./EXT. JOUR – AUTOBUS EN MOUVEMENT – AUTOROUTE (1981)   140

Zac est assis à l'arrière d'un autobus qui roule à pleine vitesse sur une autoroute. Il regarde à l'extérieur, songeur.

Son PDV: un désert, une ville lointaine et une enseigne: «Tel Aviv – 30 km».

141   EXT. JOUR – PLAGE DE TEL-AVIV (1981)   141

Zac est allongé sur la plage, en maillot de bain. Il observe de loin un JEUNE ÉTRANGER qui se dirige vers un groupe d'hommes étendus sur la plage.

142   EXT. NUIT – RUE DE TEL-AVIV (1981)   142

La musique techno se poursuit. Zac fume nerveusement en faisant du «sur-place» et en jetant des coups d'œil furtifs de l'autre côté de la rue. Son PDV: une discothèque achalandée devant laquelle se tient le jeune étranger en compagnie d'amis. Ils se dirigent vers l'entrée.

Zac écrase sa cigarette, nerveux.

143   INT. NUIT – DISCOTHÈQUE – TEL-AVIV (1981)   143

Gros plan du visage de Zac, déformé, vu à travers un verre d'alcool. Zac est assis au bar d'une discothèque achalandée. Il boit et fume de façon nerveuse tout en s'amusant à son jeu de l'œil gauche, l'œil droit, ouvert, fermé, ouvert, fermé.

Son PDV: un miroir, derrière le bar, dans lequel on voit une piste de danse pleine à craquer dont la clientèle, quasi uniquement mâle, danse de manière suggestive.

Le jeune étranger repère Zac et lui sourit. Zac regarde aussitôt ailleurs. Puis les regards se croisent à nouveau. Le jeune étranger quitte la piste de danse. Zac le perd de vue. Sa respiration s'agite. Il devient de plus en plus nerveux lorsqu'il sent une présence derrière lui. Mais Zac ne se tourne pas. Son regard s'arrête sur une enseigne de sortie sous laquelle, l'instant d'un flash, on croirait voir Gervais. Zac et

le jeune étranger sont dos à dos. Le moment est étrange.
Les dos se rapprochent et se touchent.

144 <u>EXT. NUIT – RUELLE DE TEL-AVIV (1981)</u>   144

Nous sommes dans une ruelle adjacente à la discothèque
de laquelle nous entendons la musique sourde et
lointaine. On entend surtout la respiration de Zac, on
ne peut plus intense, comme si cela en était une de
jouissance. On s'approche lentement d'un conteneur et
découvre Zac, derrière, plié en deux, en proie à une
sévère crise d'asthme. Il respire de grandes bouffées de
sa pompe, tandis que le jeune étranger arrive près de
lui. Le jeune homme le regarde avec compassion,
impuissant. Zac fait quelques pas en respirant
profondément et en tournant le dos au jeune étranger.
Celui-ci se place derrière Zac et se met à le caresser.
Il remarque la mèche de cheveux décolorés de Zac et la
caresse. Zac bouge la tête et s'éloigne. Le jeune
étranger va se placer devant Zac et attend qu'il le
regarde. Zac n'en fait rien. Le jeune homme se penche
sur Zac qui l'empêche aussitôt d'aller plus loin en le
repoussant violemment.

145 <u>INT. JOUR – CUISINE – BUNGALOW BEAULIEU (1981)</u>   145

Le téléphone des Beaulieu se met à sonner. On s'en
approche. Laurianne répond.

                        LAURIANNE
        Allô!

Il n'y a personne au bout du fil. Et la réception est
mauvaise.

                        LAURIANNE
        Allô?... Zac?...

Laurianne attend patiemment mais s'inquiète.

                        LAURIANNE
        Zac?... Es-tu là?...

146 <u>INT. NUIT – CHAMBRE D'HÔTEL – TEL-AVIV (1981)</u>   146

On s'approche lentement de Zac que l'on voit toujours de
dos, assis devant une fenêtre à regarder à l'extérieur

une nuit sombre mais calme. Seulement on peut voir la
réflexion de son visage dans un des volets vitrés de la
fenêtre devant laquelle il est assis. Il regarde droit
devant lui, le combiné à l'oreille, incapable de dire un
mot.

> LAURIANNE (H.C.)
> (du combiné)
> Zac?...
> (un temps)
> J't'aime mon beau loup...

Zac éloigne le combiné, regarde en direction du lit dans
la pénombre et raccroche, combattant de toutes ses
forces l'émotion qui lui monte aux yeux.

> ZACHARY
> (pour lui-même)
> Qu'est-ce que t'attends de moi... Donne-
> moi une réponse... s'il te plaît... parce
> que je pourrai pas continuer comme ça.

Zac attend patiemment. Et plus il attend, plus il sert
les mains comme pour contenir sa frustration, sa colère.
Il bondit soudain de sa chaise et disparaît dans
l'obscurité de la chambre. Le temps se met alors à
défiler à une vitesse folle. Le jour se lève révélant
dans la chambre une silhouette qui se met à remuer dans
le lit. On reconnaît le jeune étranger. On fonce alors
vers la fenêtre sur un soleil levant...

147   EXT. JOUR - DÉSERT (1981)   147

Un PDV à vol d'oiseau suit des traces de pas solitaires
dans le sable qui fuient vers le soleil dans un désert
sans fin. Après plusieurs kilomètres, le PDV
s'immobilise sur une trace de pas dans laquelle se
trouve, quasi ensevelie, la pompe de Zac. Le PDV reprend
de la vitesse. On repère un point à l'horizon, à travers
les vagues de chaleur. Plus le PDV avance, plus le point
se définit : il s'agit de Zac qui marche vers l'inconnu
dans le silence du désert. Il ne porte rien sur la tête.
Il n'a pas de gourde et sa chemise est ouverte.

148   EXT. JOUR – DÉSERT – PLUS LOIN – PLUS TARD   148

Zac s'obstine à poursuivre sa route. Son rythme est
lent, sa respiration haletante, son regard inquiet. Il
s'arrête, regarde derrière lui, lève les yeux au ciel et
rebrousse chemin.

149   EXT. JOUR – DÉSERT – PLUS LOIN – PLUS TARD   149

PDV sur le désert. Effet de vague de chaleur.

Zac est assis dans l'ombre d'une butte de sable au
milieu du désert, immobile comme une statue. Un temps
pendant lequel il s'appuie contre le sol et devient
complètement terrifié par la réaction de son corps qui
sonne l'alarme. Il voudrait pleurer, crier, vomir...
mais s'évanouit.

150   INT. NUIT – CHAMBRE DES PARENTS – BUNGALOW BEAULIEU (1976)   150

Laurianne se réveille, en proie à un drôle de
pressentiment.

151   EXT. JOUR – DÉSERT (1981)   151

Les paupières de Zac sont tremblantes...

152   INT. NUIT – TOILETTE – BUNGALOW BEAULIEU (1981)   152

Laurianne regarde son image dans le miroir de la
pharmacie. Son cœur bat à toute allure...

153   DÉSERT   153

Zac réussit à entrouvrir un œil.

PDV de Zac sur le soleil...

154   TOILETTE – BUNGALOW BEAULIEU   154

Laurianne perd le souffle, attaquée par une soudaine
crise d'angoisse, et retient un cri de douleur
viscérale...

155 <u>DÉSERT</u>   155

Le soleil devient noir. Le son lointain d'une moto se
fait entendre.

156 <u>TOILETTE - BUNGALOW BEAULIEU</u>   156

Haletante, Laurianne se lance de l'eau à la figure avec
l'aide de sa main qui frappe le jet d'eau d'un
robinet...

157 <u>DÉSERT</u>   157

Le visage de Zac semble sans vie. On entend maintenant
que cette moto qui approche et s'arrête. Le moteur
s'éteint. Une goutte d'eau tombe sur les lèvres de Zac.
Une ombre assombrit son visage. Une autre goutte d'eau
l'éclabousse. Zac entrouvre les yeux et aperçoit Raymond
qui lui tend une gourde. Zac ouvre davantage les yeux et
se rend compte qu'il ne s'agit pas de Raymond mais d'un
BÉDOUIN.

158 <u>EXT. NUIT - TENTE DU BÉDOUIN - DÉSERT (1981)</u>   158

Éclairés par la lumière d'un feu autour duquel sont
rassemblés Zac, le Bédouin et sa famille: une FEMME,
plusieurs ENFANTS et deux VIEILLARDS.

Étendu sous des couvertures, épuisé, les yeux mi-clos,
Zac fixe une vieille moto-cross stationnée près d'un
chameau. Puis il repère, dans les mains d'un enfant, son
broncho-dilatateur. Zac ferme les yeux. Le Bédouin le
dévisage d'un œil intrigué.

159 <u>INT. NUIT - TENTE DU BÉDOUIN - PLUS TARD</u>   159

Zac se réveille d'un sommeil agité. Il regarde autour de
lui en se demandant où il est. Tous dorment à
l'exception du Bédouin qui est assis près de lui à le
regarder en fumant. Un temps pendant lequel le Bédouin
s'adresse à Zac en arabe en échappant un «Allah» par-ci
par-là. Zac ne comprend rien.

Le Bédouin s'approche, le scrute du regard et se penche
sur lui. Zac lui met la main sur l'épaule pour

l'empêcher d'aller plus loin. Le Bédouin reparle à Zac en arabe. Le ton est calme.

La main de Zac cède sous la pression du corps du Bédouin qui s'approche de celui de Zac. Le vieil homme prend le jeune dans ses bras et se met à le bercer en fredonnant tout bas un chant arabe. Zac en est stupéfait... et soulagé.

160   INT. JOUR - TENTE DU BÉDOUIN - DÉSERT (1981)   160

Le vieux Bédouin se réveille et constate que Zac n'est plus dans la tente. Il regarde à l'extérieur.

PDV du Bédouin: Zac est assis sur une butte de sable à contempler le spectacle magnifique d'un lever de soleil.

161   EXT. JOUR - DÉSERT (1981)   161

GROS PLAN de Zac qui savoure le vent sur son visage, un turban autour de la tête. Il est cramponné au Bédouin qui conduit sa moto à travers le désert.

162   EXT. JOUR - DÉSERT - PLUS LOIN - PLUS TARD   162

Zac regarde le Bédouin qui s'éloigne dans le désert, seul sur sa moto. Puis il jette un coup d'œil autour de lui.

Une petite ville pointe à l'horizon.

163   EXT. JOUR - SOUK - PETITE VILLE D'ISRAËL (1981)   163

Zac marche dans une rue piétonnière achalandée, bordée de kiosques de tous genres.

Les MARCHANDS l'interpellent pour lui vendre leurs marchandises mais il les ignore.

Soudain, il s'arrête, ahuri. Tout se met à bouger au ralenti... sauf son cœur.

Son PDV révèle, à travers les passants, un kiosque sur lequel sont étalés de vieux disques vinyles poussiéreux.

Zac s'en approche, prend un microsillon et éclate de rire d'un rire fou bientôt incontrôlable.

                    NARRATEUR (V.O.)
          Les chemins de Dieu sont insoupçonnés,
          disait ma mère.

164   EXT. JOUR - RUE DEVANT BUNGALOW BEAULIEU (1981)   164

CONTRE-PLONGÉE sur un avion qui vole en basse altitude.
La caméra «PAN» vers le bas pour nous faire découvrir
Zachary qui lève les yeux au ciel pour regarder l'avion,
tandis qu'il ferme la portière arrière d'un taxi qui
s'éloigne aussitôt. Zac reste là, nerveux, à regarder la
maison familiale. Il porte un sac de cuir en bandoulière
qui a la forme d'un disque.

Il se décide enfin à avancer. Son attention est attirée
par des voisins qui marchent vers lui avec des airs
d'enterrement.

165   INT. JOUR - COULOIR - HÔPITAL (1981)   165

Zac traverse un couloir d'hôpital à la hâte.

166   SOINS INTENSIFS - HÔPITAL - SUITE   166

Laurianne se lève, tremblante, et court se jeter dans
les bras de Zac lorsqu'elle l'aperçoit franchir la
porte.

Zac étreint sa mère tout en balayant la pièce du regard:
Yvan le grassouillet, 15 ans, lui envoie un sourire
discret.

Raymond le voyou, 28 ans, gît, inconscient, sur un lit à
côté duquel se tient Gervais, les yeux bouffis et
rougis. Zac et son père s'échangent à peine un regard.

                    LAURIANNE
          Le bon Dieu t'a ramené. C'est un signe.
          Tu vas nous le guérir.

Gervais acquiesce d'un signe de tête désespéré.

Laurianne entraîne Zac auprès de Raymond. Zac est
embarrassé. Ses frères aussi. Tous regardent leur mère
avec pitié.

Zac se recueille devant Raymond. Il lui touche la main
et, ce faisant, ne peut s'empêcher de regarder son père

qui, soulagé, esquisse un sourire nerveux. Raymond
demeure inconscient.

167 INT. NUIT – SOUS-SOL – BUNGALOW BEAULIEU (1981)   167

Laurianne et Corinne arrivent au sous-sol avec des
oreillers. Antoine, Christian, Yvan et Zac étalent des
sacs de couchage sur le tapis. Laurianne embrasse ses
fils un à un en leur souhaitant une bonne nuit. Puis
elle arrive devant Zac.

                    LAURIANNE
          J'suis contente que tu restes.

Elle l'embrasse, plus longtemps que les autres, et lui
chuchote à l'oreille.

                    LAURIANNE
          J'veux toute savoir.

Laurianne s'éloigne. Zac se dirige vers la chambre de
Raymond.

168 CHAMBRE DE RAYMOND – BUNGALOW BEAULIEU – SUITE   168

Zac enregistre les lieux. Yvan apparaît derrière lui.

                    YVAN
          Je l'ai trouvé à terre, là, avec la
          seringue dans le bras.

Zac caresse la tête de son petit frère et sort.

169 INT. NUIT – SOUS-SOL – BUNGALOW BEAULIEU – PLUS TARD   169

Les quatre frères sont étendus sur le dos dans des sacs
de couchage, les yeux grands ouverts, perdus dans leurs
pensées.

                    ANTOINE
          Ils doivent pas avoir d'équipe d'hockey,
          là-bas.

Zac regarde Antoine, surpris de son intervention. Un
temps.

                    ANTOINE
          C'est quoi le sport national en Israël?

Zac réfléchit puis hausse les épaules.

                    ZACHARY
          La guerre?

C'est au tour d'Antoine de regarder Zac, surpris. Un
autre long silence. Le malaise est palpable. Personne
n'ose questionner Zac sur son voyage... ou parler de
Raymond. Un temps.

                    YVAN
          J'pense que... ça va prendre un boutte
          avant que Raymond me remette mon
          vingt piasses.

Antoine échappe un rire, ironique.

                    YVAN
          Quoi?

                    ANTOINE
          Ça fait longtemps que tu l'as perdu ton
          vingt.

Un long silence.

                    CHRISTIAN
          D'après moi, c'était pas un accident.

Les frères se regardent longuement et n'osent dire un
mot.

170   INT. NUIT - SOUS-SOL - BUNGALOW BEAULIEU - PLUS TARD   170

La nuit est calme. Les quatre frères dorment.

Une silhouette s'approche de Zac, dangereusement
lentement, et pénètre dans un rayon de lune. Il s'agit
de Raymond. Il s'approche de Zac et lui donne un coup de
poing sur l'épaule à sa manière. Zac se réveille.

Le fantôme de Raymond n'est plus là. On entend du bruit
à l'étage. Zac se lève.

171   INT. NUIT - ESCALIER - BUNGALOW BEAULIEU - SUITE   171

Zac est dans l'embrasure de la porte.

Son PDV nous montre la silhouette de Gervais assis au
salon, dans l'obscurité de la nuit.

172   INT. NUIT – SALON – BUNGALOW BEAULIEU – SUITE   172

Gervais est assis dans son fauteuil, le regard absent.
Zac apparaît du sous-sol avec son sac contenant le
disque. Il s'assoit près de son père. Gervais devient
mal à l'aise.

                    GERVAIS
          Il va s'en sortir.

Zac acquiesce d'un signe de tête.

                    GERVAIS
          Y'est faite fort.

Long silence. Zac est nerveux. Il regarde longuement son
sac.

                    GERVAIS
          Je sais que je suis pas un père parfait.
          T'aurais sûrement pas les problèmes que
          t'as là si je l'étais. Raymond non plus.

Gervais parle en fixant le sol devant lui.

                    GERVAIS
          J'ai peut-être pas toujours été correct.
          J'essaye de comprendre ce qui nous arrive
          là pis c'est pas facile. J'ai ma part de
          responsabilités là-dedans, je le sais.
          J'aimerais ça me racheter mais je sais
          pas quoi faire. Je sais pas quoi te dire
          pour te faire comprendre que t'es pas ce
          que tu penses.

Zac ne s'attendait pas à celle-là. Les deux hommes
s'échangent un regard très rapide.

                    GERVAIS
          Tu peux pas refuser la plus belle chose
          qu'il va t'arriver dans 'vie: d'avoir des
          enfants. Y'a rien de plus beau pis de
          plus fort... pis tu t'en rends compte en
          maudit quand tu passes proche d'en perdre
          un... parce qu'y a rien qui fait plus
          mal.

173   COULOIR - BUNGALOW BEAULIEU - SUITE   173

Debout contre la porte de sa chambre, Laurianne écoute
son mari.

                        GERVAIS (H.C.)
            Le bon Dieu veut sûrement me faire
            comprendre quelque chose.

174   SALON - BUNGALOW BEAULIEU - SUITE   174

Gervais reprend le dessus de ses émotions.

                        GERVAIS
            Si tu penses qu'y a rien à faire... je
            peux pas *dealer* avec ça, là. J'suis pas
            capable. J'peux pas.

Un temps. Gervais se lève et s'éloigne.

175   COULOIR - BUNGALOW BEAULIEU - SUITE   175

Laurianne entre dans sa chambre, déçue.

176   SALON - BUNGALOW BEAULIEU - SUITE   176

Zac reste immobile à regarder son disque. En arrière-
plan, Gervais disparaît dans sa chambre.

PDV de Zac sur la pochette et particulièrement sur les
lettres «C», «R», «A», «Z», «Y».

Zac esquisse un sourire ironique et se défait du disque.

177   INT./EXT. NUIT - CHAMBRE DE MICHELLE - BUNGALOW VOISIN (1981)   177

Un doigt cogne doucement sur une fenêtre à travers
laquelle on peut voir Michelle se réveiller, surprise.

178   INT. NUIT - CHAMBRE DE MICHELLE - PLUS TARD   178

Zac est debout dans un coin de la pièce. Il fume en
lançant de temps à autre des sourires gênés à Michelle
qui se tient dans un autre coin. Zac tente à quelques
reprises de parler mais en vain. Michelle s'approche de
lui. Zac tente à nouveau de parler, mais Michelle l'en
empêche. Elle lui caresse les cheveux. Zac ose enfin la

regarder. Les larmes sont instantanées. Il se réfugie dans ses bras et évacue le trop-plein.

> ZACHARY
> Je m'excuse.

179   INT. JOUR - SALON - BUNGALOW BEAULIEU (1981)   179

Le soleil se lève. Gervais apparaît dans le salon en peignoir. Il se dirige vers la cuisine et s'immobilise lorsqu'il aperçoit quelque chose: son fameux disque de collection. Il s'en approche, surpris, et voit le sac vide de Zac tout près.

180   INT. JOUR - CHAMBRE DE MICHELLE - SUITE   180

Zac et Michelle dorment, habillés. Zac se réveille, frappé d'un pressentiment.

181   CHAMBRE DES PARENTS - BUNGALOW BEAULIEU - SUITE   181

Le téléphone sonne. Laurianne se réveille et court répondre.

182   INT. JOUR - SALON - BUNGALOW BEAULIEU - SUITE   182

Gervais a un casque d'écoute sur la tête et n'entend pas la sonnerie du téléphone. Il sourit, plongé dans d'agréables souvenirs que lui remémore la musique, inconscient de ce qui se passe derrière lui, dans la cuisine: Laurianne répond au téléphone. Une douleur insupportable lui coupe le souffle.

183   INT. JOUR - ÉGLISE (1981)   183

Une messe funèbre se déroule devant la famille Beaulieu, PARENTS et AMIS.

> LE JEUNE PRÊTRE
> Même en face de la mort, nous osons
> affirmer que la vie est plus forte, car
> elle vient de Dieu. C'est vers Lui que
> nous nous tournons maintenant dans la
> prière. Notre Père...

La FOULE entame le «Notre Père». La cousine Brigitte, 20 ans, et Paul, 23 ans, sont assis non loin des Beaulieu. Malaise entre Zac et son père.

Zac aperçoit une FEMME portant des verres fumés faire son entrée à l'arrière de l'église. Doris.

LA FOULE
... et ne nous soumets pas à la tentation
mais délivre-nous du mal...

184 ÉGLISE - PLUS TARD   184

Christian, Antoine, Zac et Yvan portent le cercueil de leur frère. Ils sont suivis de Laurianne, de Gervais et de l'ASSISTANCE. Gervais, l'orgueilleux, résiste à l'émotion.

Laurianne reconnaît Doris derrière ses verres fumés, assise dans la dernière rangée. La mère lui tend les bras. Déchirée, l'ex-conjointe de Raymond trouve refuge auprès de Laurianne.

À la sortie de l'église, Madame Chose observe la scène, émue. Zac l'aperçoit. Ils échangent un sourire.

185 INT. JOUR - SALON - BUNGALOW BEAULIEU (1981)   185

Goûter-réception avec la famille immédiate et le jeune prêtre. Gervais joue à l'hôte en vérifiant auprès de ses invités, dont Doris, s'ils veulent à boire. La plupart mangent en silence.

Soudain, tous regardent en direction de la cuisine. On entend cogner des chaudrons.

186 INT. JOUR - CUISINE - BUNGALOW BEAULIEU - SUITE   186

À genoux devant les armoires du comptoir, Laurianne trouve enfin ce qu'elle cherchait: son vieux fer à repasser. Elle le branche au mur et étale quelques tranches de pain blanc sur le comptoir.

Zac apparaît dans l'embrasure de la porte de la cuisine et regarde sa mère en silence.

Gervais suit la scène à l'écart.

À l'aide de son fer, Laurianne se met à écraser les tranches de pain dans des gestes impatients. Plus elle gagne en vigueur plus elle perd en maîtrise. Elle s'interrompt lorsque la main de Zac se pose sur la sienne.

Un temps. Laurianne sort de sa transe. Elle dépose son fer, regarde Zac, avale sa peine et sourit de son plus beau sourire.

Zac sourit à sa mère et quitte la cuisine.

187 SOUS-SOL – BUNGALOW BEAULIEU 187

Zac surprend Yvan, 15 ans, à jouer l'innocent près d'une fenêtre entrouverte.

YVAN
Y fait chaud en haut.

ZACHARY
T'as pas commencé à fumer, toi aussi?

Yvan ne répond pas. Zac se prend une cigarette. Yvan hésite et sort le briquet «zippo» chromé qui appartenait à Raymond. Zac sourit, s'allume et offre une cigarette à son frère.

YVAN
Ça me dérange pas, moi... que tu sois de même.

Zac regarde son frère avec tendresse. Un temps.

YVAN
Mais... euh... t'es-tu sûr?

Zac fait une prise de tête amicale à son frère.

188 SALON – BUNGALOW BEAULIEU – PLUS TARD 188

Les invités sont tous partis. Doris, Corinne, Christian et Antoine sont dans le hall, prêts à quitter la maison à leur tour.

Laurianne est devant la chaîne stéréo et fait jouer LE fameux disque. La voix de Patsy Cline se fait entendre.

Gervais est surpris du geste de sa femme. Zac aussi.

Gervais embrasse Corinne et Doris puis fait une longue accolade à Antoine et à Christian qui restent saisis par cette démonstration d'affection inhabituelle. Les deux fils embrassent leur mère et s'en vont.

Zac enfile sa veste et se dirige vers la sortie. Laurianne l'accueille dans ses bras, l'embrasse et s'éloigne, le laissant seul devant son père.

Gervais lui tend la main. Zac la prend. Puis, pris d'une émotion soudaine, Gervais tire son fils et le serre contre lui de façon maladroite. Mal à l'aise, Zac vient pour rompre l'étreinte mais Gervais l'en empêche, le serrant de plus belle. Le père laisse sortir de petits sanglots qui lui secouent les épaules.

Laurianne regarde la scène, les yeux dans l'eau.

Yvan le grassouillet apparaît dans le salon. Sans se préoccuper du moment d'intimité qui se déroule sous ses yeux, il retire le disque de la platine tourne-disque... et l'échappe.

GROS PLAN du microsillon qui tombe au sol et qui éclate.

Gervais n'en croit pas ses yeux.

189   EXT. JOUR – CIMETIÈRE (1981)   189

Zac est seul au milieu d'un grand cimetière, en recueillement devant la pierre tombale de Raymond. Un temps. Puis il dépose une feuille de marijuana sur la pierre tombale et s'éloigne.

190   INT./EXT. JOUR – VOITURE EN MOUVEMENT (2004)   190

Gervais, 77 ans, est à bord d'une décapotable assis du côté passager. Il savoure le vent sur son visage ainsi que quelque chose dans sa bouche qu'il mâche longuement comme un vieillard.

                         NARRATEUR (V.O.)
                  Je ne sais pas si c'est le départ de
                  Raymond ou le temps qui a fait son œuvre,
                  mais mon père était redevenu mon père. Ça
                  lui a tout de même pris 10 ans avant de
                  me laisser entrer chez lui... accompagné.

Et jamais depuis on ne s'est parlé de nos
différences, ni même... de Patsy Cline.

La caméra révèle Zac, maintenant dans la quarantaine,
assis derrière le volant, qui mord dans une frite. Il
n'a absolument rien de triste même si le texte du
narrateur pouvait le laisser sous-entendre.

191   EXT. JOUR - ROUTE DE CAMPAGNE (2004)   191

La voiture de Zac s'éloigne sur la route au bord de
laquelle se trouve la vieille roulotte de «Norman le roi
de la patate».

Le titre du film apparaît sur fond noir. Les lettres se
dispersent. À côté de chacune d'elles apparaissent les
prénoms des fils Beaulieu: Christian, Raymond, Antoine,
Zachary, Yvan.

FIN

C.R.A.Z.Y.
PHOTOS

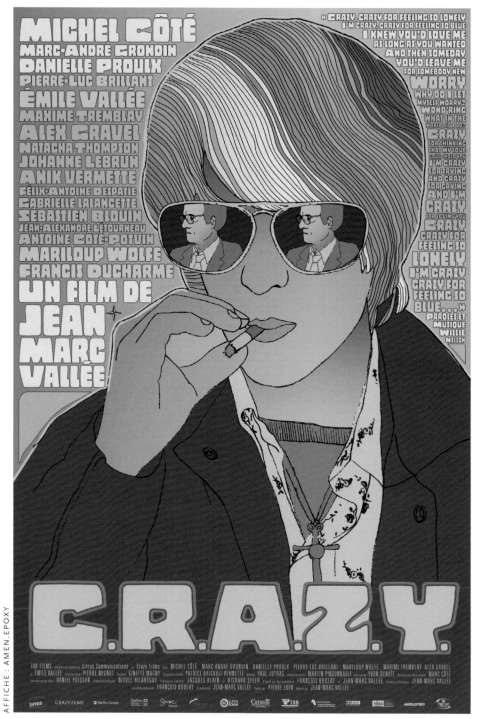

Affiche de collection de *C.R.A.Z.Y.* par Amen.Epoxy

PHOTO : SÉBASTIEN RAYMOND

Zac (Émile Vallée) après un bombardement de baisers mouillés.

PHOTO : SÉBASTIEN RAYMOND

« Le seul avantage d'avoir sa fête en même temps que Noël, c'est d'avoir un plus gros cadeau que les autres. » Zac (Émile Vallée).

Zac (Émile Vallée) savoure le vent qui souffle sur son visage. Il a la tête et les bras sortis par la fenêtre, côté passager, et fait battre des papiers-mouchoirs au vent.

PHOTO : SÉBASTIEN RAYMOND

Laurianne Beaulieu, la mère (Danielle Proulx).

PHOTO : SÉBASTIEN RAYMOND

« Onze piasses ! Un disque... de collection. Importé. Vous allez me le payer chacun votre tour si le coupable se montre pas. Vous allez apprendre à assumer ce que vous faites, Christ. » Gervais (Michel Côté), Laurianne (Danielle Proulx), Yvan (David ou Hugo Vaillant), Christian (Jean-Alexandre Létourneau), Raymond (Antoine Côté-Potvin), Antoine (Sébastien Blouin), et Zac (Émile Vallée).

Brigitte (Mariloup Wolfe) et Paul (Francis Ducharme) dansent le mambo au milieu des invités réunis au salon dans un épais nuage de fumée. « Ma cousine Brigitte venait d'abandonner l'école pour se consacrer, à temps plein, à la danse sociale. À 15 ans ! »

PHOTO : SÉBASTIEN RAYMOND

Micro à la main, fidèle à lui-même, Gervais (Michel Côté) offre son inépuisable imitation d'Aznavour : *Emmenez-moi au bout de la terre.*

Zac (Marc-André Grondin) brandit le majeur vers Raymond (Pierre-Luc Brillant), le dissimulant de manière à ce que son père ne le voie pas.

«Comme à chaque Noël, le salaud venait à peine passer une heure, le temps de faire le plein et de me faire chier.»

Zac (Marc-André Grondin) est couvert de neige. Il s'obstine à marcher dans la tempête. Son rythme est lent, sa respiration haletante, mais son regard toujours aussi implacable, aussi résolu.

PHOTO : SÉBASTIEN RAYMOND

« As-tu fini de te prendre pour c't'hostie de fif-là! Tu nous fais passer pour une gang de caves ! »
Antoine à Zac (Marc-André Grondin) au sujet de David Bowie.

Doris (Johanne Lebrun) et Raymond (Pierre-Luc Brillant) en moto.

Zac (Marc-André Grondin) regarde la voiture de Raymond s'éloigner.
« C'est ça, va te tuer. »

Michelle (Natacha Thompson).

Le jour des noces, les « hommes » du clan Beaulieu : Yvan (Félix-Antoine Despatie), Christian (Maxime Tremblay), Gervais, le père (Michel Côté), Raymond (Pierre-Luc Brillant), Zachary (Marc-André Grondin) et Antoine (Alex Gravel).

Pierre Even, le producteur.

Jean-Marc Vallée et son collaborateur au scénario, François Boulay.

Jean-Marc Vallée et son fils, Émile.

C.R.A.Z.Y.
APPROCHE DU RÉALISATEUR

Approche du réalisateur

Mot d'introduction

Peu importe le film, mon approche du cinéma est toujours la même : raconter une histoire avec le désir sincère de donner le meilleur spectacle possible.

La notion de spectacle m'est très importante. Comme spectateur, j'aime être captivé, déjoué dans mes anticipations, plongé dans un suspense ; j'aime quand on casse le rythme, le reprend, l'accélère ; j'aime être surpris, touché, bousculé, provoqué ; découvrir des univers nouveaux, rêver, rire, pleurer, les deux à la fois ; et j'aime, à la toute fin, sortir du cinéma avec la plaisante sensation d'avoir le goût de vivre, de vouloir mordre dans la vie, de passer à l'action, parce que je viens de retrouver, l'instant d'un film, la petite étincelle de lucidité qui me permet de voir la vie comme elle devrait toujours m'apparaître : belle.

Ils sont plutôt rares les films qui me procurent cette sensation de bonheur intense, mais il y en a toujours quelques-uns, chaque année, qui me rappellent aussi que c'est le genre de films que j'aimerais faire, que je dois faire, ne serait-ce qu'une seule fois dans mon humble carrière.

J'ose croire que *C.R.A.Z.Y.* est celui-là ou l'un de ceux-là. Je l'ai écrit dans cet esprit, par égoïsme d'abord. À partir d'un fait vécu qui m'a profondément touché, je me suis imaginé cette histoire que j'ai voulu folle, magique et belle. Pour me faire plaisir. Pour me permettre de m'éclater, de jouer au Cinéma avec un grand « C ».

La mise en scène

La mise en scène de *C.R.A.Z.Y.* sera à l'image des Beaulieu, parfois sobre, parfois éclatée.

Tout comme le personnage principal du film qui combat sa nature profonde, le réalisateur en moi devra, par moments, combattre la sienne pour mettre de l'avant celle du scénariste. Cela, en faisant appel à une mise en scène transparente, sobre, qui n'attire pas l'attention sur la forme, mais qui donne toute la place aux personnages, au récit, à l'émotion déjà présente dans le scénario.

Mon travail consiste à trouver le juste équilibre entre ces moments de transparence de la mise en scène et les moments où celle-ci contribuera de façon évidente à provoquer l'émotion, à l'enrichir.

Dans ce cas, je n'hésiterai pas à « pousser l'enveloppe », à utiliser des images gelées, des brisures de son, des silences étranges, des effets de ralentis, de « ramping », des montages « hip hop », des cadrages inusités, des focales extrêmes, des éclairages à forts contrastes, des mouvements de caméra dramatiques, des transitions « funky ». Tout pour accompagner l'imaginaire fertile de Zac et le suivre dans son destin insolite.

La mise en scène épousera principalement le point de vue de Zachary, mais n'hésitera jamais à le délaisser pour emprunter celui de Gervais, de Raymond ou de quiconque en position de faire avancer l'histoire, de créer l'émotion.

Le mystique

La vie arrange parfois les choses de manière tout à fait imprévisible, inattendue et extraordinaire. C'est ce qu'elle fera pour Zachary Beaulieu et c'est là que réside l'aspect mystique du film. C'est là que le film prend toute sa fantaisie, sa fraîcheur, sa folie.

Le côté mystique du film ne se retrouve pas seulement à travers les dons de guérisseur de Zac, mais aussi et surtout dans le combat qu'il mène contre sa nature profonde, contre Dieu, et dans chaque petit détail de la vie qui le conduira à son ultime rendez-vous avec le destin.

Je veux entretenir le mystère, toujours rendre la chose équivoque. Zac a-t-il, oui ou non, des dons de guérisseur? Les événements qui bousculent sa vie sont-ils l'œuvre de Dieu? Les croyants pourront répondre oui. Les athées pourront répondre non, c'est le fruit du hasard. Un hasard aux allures fantastiques.

J'ai l'intention de ponctuer, parfois avec sérieux, parfois avec humour, parfois en contrepoint, à l'aide d'effets de ralentis, de mouvements de caméra très lents ou à vol d'oiseau, de lumières puissantes, de soufflements étranges, de musiques, chaque petit événement qui sert à nous rappeler que la vie de Zac a quelque chose de mystérieux, de spécial, de mystique.

Comme les scènes d'osmose entre Laurianne et Zac (au camp de vacances et dans le désert). La magie, ici, est dans le montage parallèle et dans la sensibilité de la mère, comme si celle-ci pouvait sentir la détresse de son fils, même s'il se trouve à des milliers de kilomètres. Puissant que l'amour d'une mère! Ou comme la scène de bagarre entre Zac et Toto, qu'on tournera au ralenti, sans le son. On verra Michelle, en arrière-plan, crier son désaccord, son dégoût, tandis que Zac démolit le pauvre Toto. Elle prendra des allures mystiques avec la musique d'ambiance qui l'accompagnera et qui fournira un contrepoint aux images de la scène.

Le caractère fantastique des deux apparitions de Raymond à Zac vers la fin du film ne sera pas souligné. L'une est une hallucination. L'autre, un rêve? Ou une visite inattendue?

Le découpage

Je ne prévois pas découper outre mesure. Je préconise les plans longs, bien chorégraphiés, où les acteurs ont à se déplacer, à s'approcher en gros plan ou à s'éloigner, où la caméra opère d'extrêmes changements de foyer d'un sujet très près en avant-plan à un autre plus loin derrière.

Zac aura droit à davantage de gros plans que les autres. Ses regards détermineront souvent le découpage. De façon générale, ce que Zac voit, le public le voit.

La caméra

Mais la caméra saura se faire discrète, nuancée et avare dans ces informations.

Pour des raisons économiques, nous ne tournerons qu'à une seule caméra. Elle empruntera volontairement un style «deuxième caméra», c'est-à-dire une caméra qui n'a pas la meilleure place pour filmer les acteurs de face. On travaillera donc minutieusement les cadrages, de façon à ce qu'il y ait une réserve, une retenue dans l'information à divulguer pour nous forcer davantage à s'engager dans le récit, à vouloir en voir plus, à vouloir en savoir plus. Je n'hésiterai jamais, par exemple, à cadrer un acteur de dos pour ne pas montrer sa réaction, attendre, laisser le public s'imaginer, s'engager, le laisser souhaiter voir, puis le surprendre, le déjouer.

La caméra est d'abord au service de Zac. Souvent à sa hauteur. Il y aura donc une progression de la hauteur du point de vue, du premier au troisième acte. Plus Zac grandit, plus le point de vue monte.

Rarement la caméra sera à l'épaule. Elle saura se faire invisible, se faire oublier, mais aussi se faire remarquer par un mouvement très lent pour faire sentir le danger, ou un mouvement rapide, ou des cadrages inusités.

De façon systématique, Zac attire la caméra à lui et Gervais l'éloigne. On s'approche de Zac (*dolly* avant). On s'éloigne de Gervais (*dolly* arrière).

Le traitement de l'image

Le style de caméra et d'images ne s'apparentera pas du tout au style d'images des films de l'époque. *C.R.A.Z.Y.* est un film contemporain dont l'histoire seulement se déroule dans le passé. Sa facture sera contemporaine. Je n'utiliserai pas d'effets de styles des années 1970 (avec zoom, «split screen», etc.). À titre de comparaison, *C.R.A.Z.Y.* ressemblera davantage à *Ice Storm* ou à *Les Fleurs magiques* dans son traitement d'image qu'à *Catch Me If You Can*. Les costumes du film de Spielberg sont par contre une excellente référence.

Je ne veux pas non plus de changement de styles d'une époque à l'autre. Je veux préserver l'unité dans le style d'image. Un seul «look» pour l'ensemble du film. Les fantasmes et les rêves ne seront pas non plus traités de façon différente. Je ne veux pas prendre le public par la main et lui dire dès le départ que nous arrivons dans un rêve ou un fantasme. Je préfère lui procurer un moment de surprise à la fin du rêve ou du fantasme, à la façon *Mots magiques*, ou le faire sourire pendant le fantasme lorsqu'il se rendra compte qu'il est maintenant plongé dans l'imaginaire délirant de Zac.

Dans un souci de réalisme, j'opte pour une image nette, sans diffusion sur la caméra, contrastée. Je veux voir les rides, les pores de peau, la saleté, la crasse sous les ongles, la texture d'un cheveu gras, et celle d'un cheveu propre, d'une peau lisse, d'une lèvre mouillée, d'un nombril, d'une pupille dilatée.

Dans un souci de style, on essaiera de travailler le plus possible à «grande ouverture» pour réduire la profondeur de champ. J'aime les arrière-plans et les avant-plans flous qui me permettent des changements de foyer draconiens. J'aime l'absence de profondeur de champ. Je trouve que ça donne plus de richesse à l'image. Étrangement aussi, plus de profondeur.

La lumière

Sans vendre la mèche au public, Zac sera toujours éclairé par derrière, jamais de face sauf quand il approche de la mort. De façon parfois évidente mais le plus souvent subtile, Zac aura toujours une aura de lumière qui l'entoure, en provenance du soleil, ou d'une réflexion du soleil, d'une lampe, d'une fenêtre, d'un téléviseur allumé, d'un miroir, des phares d'une voiture, etc. Un mystère doit l'entourer. Celui-là n'est pas comme les autres. Il aura bien sûr une lumière qui lui éclairera le visage, mais elle ne sera jamais directe, toujours réfléchie.

Je ferai appel à des éclairages contrastés, à des noirs très noirs, à des blancs très blancs. Je privilégierai d'ailleurs la surexposition des fenêtres le jour, présenterai souvent les personnages en silhouette, toujours dans l'esprit de ne pas livrer toute l'information au public, de l'engager davantage dans le récit.

Les rayons de soleil éblouissants qui éclairent Zac dans ses moments de guérison ne proviendront jamais directement du ciel... mais d'une réflexion quelconque du soleil sur une voiture qui passe, par exemple.

On éclairera les intérieurs-jour principalement avec des lampes placées à l'extérieur qui simulent le soleil. J'adapterai et planifierai ma mise en scène par rapport aux fenêtres des lieux.

Aucun bleu nuit. Les éclairages de nuit seront fidèles à la réalité.

La lumière sera toujours justifiée et toujours présente dans l'image (grâce à des lampes, des fenêtres, des chandelles, des phares de voitures). Parfois exagérément puissante, parfois exagérément absente.

Chez les Beaulieu, on préconisera une approche d'éclairage par scène et non par plan. Je veux pouvoir tourner plusieurs plans dans le même éclairage sans avoir à tout changer. Je veux que la technique soit au service des acteurs, de l'histoire, et non l'inverse. On ne négligera pas pour autant la lumière.

La direction artistique

Les décors, dans l'ensemble, doivent nous procurer un certain sentiment de nostalgie d'une Amérique ouvrière, de classe moyenne, autant chez les Beaulieu qu'à l'école, à l'église, à la roulotte à patates ou dans des détails d'accessoires comme un sapin de Noël artificiel, des patins à roulettes à quatre roues, des sièges banane, des poignées mustang, etc.

Je veux qu'on aime retrouver le style de l'époque, se remémorer les sensations du tissu synthétique, le toucher désagréable d'un mur de stuco en petits pics, la laideur d'un mur de sous-sol en préfini, la texture d'un microsillon, plein de menus détails savoureux qui font partie de la vie des Beaulieu mais sur lesquels on ne s'attardera pas, qu'on va peut-être découvrir au passage ou apercevoir en arrière-plan. Détails certes inutiles à l'histoire mais combien essentiels aux décors.

Je ne crois pas faire de grosses métamorphoses de la maison Beaulieu d'une époque à l'autre. Changer peut-être la couleur d'un mur ou deux, une tapisserie, un meuble, quelques accessoires, c'est tout. Ce n'est pas dans les priorités de la famille. Première priorité pour Gervais : changer d'auto tous les ans.

Rien de sale chez les Beaulieu mais rien de trop propre. Beaucoup de patines de vieillissement, de vécu, de vérité. Je veux que la famille et les décors aient l'air vrai. Qu'on y croit.

On va utiliser les couleurs en vogue des époques dépeintes, le style en vogue de ces époques, en prônant la simplicité.

CCM

Pour chacune des époques, mais particulièrement pour les années 1970, les départements CCM (costume, coiffure, maquillage) devront toujours apporter un petit quelque chose de « sexy », une petite touche de connotation sexuelle, surtout chez les femmes mais aussi pour certains rôles masculins.

L'érotisme

Bien que je veuille le film « sexy » et provocant en ce qui concerne les costumes et le comportement sexuel de certains personnages, je le veux aussi pudique en ce qui a trait à la chair. Pas question de tout montrer. *Less is more.*

Mais pour ce qui est de l'attitude, c'est autre chose. Même si Zac et Michelle, adolescents, ne font pas l'amour et demeurent habillés dans leurs scènes de « necking », ils seront aussi intenses que Raymond peut l'être, intensément maladroits aussi.

Le casting

L'un des plus grands défis de *C.R.A.Z.Y.* est sans doute son casting puisque le film se déroule sur plusieurs décennies, divisées en trois grandes parties : 1967-1968, 1974-1975, 1980-1981.

Dans la famille Beaulieu, seuls les rôles de Laurianne et de Gervais peuvent être tenus par les mêmes acteurs, qui traverseront les années avec des maquillages adéquats. Ce sont donc ces deux rôles qui serviront de véhicules-vedettes. Michel Côté tiendra le rôle de Gervais.

Les rôles des cinq frères seront joués par trois acteurs chacun pour couvrir l'enfance, l'adolescence et le monde adulte des personnages. Je ne ferai pas appel à des acteurs connus pour tenir ces rôles.

Pour les trouver, nous allons faire le tour des écoles primaires, secondaires, collèges et universités du Grand Montréal et des villes voisines ainsi que celui des écoles de théâtre. On ne perdra pas la tête avec la ressemblance. On les choisira d'abord pour leur talent puis pour leur gueule.

Qu'ils soient grassouillets ou qu'ils portent des verres en fond de bouteille, les frères Beaulieu sont beaux, «cool», «sexy», «baveux». Tous ont leur charme. On aime les regarder.

Chose importante à vérifier au casting de chacun des frères : leur rythme et leur sens de la musique. Zac et Raymond, en particulier, doivent avoir la musique dans le sang, de vrais Noirs à peau blanche.

Peut-être allons-nous utiliser le même acteur pour jouer Raymond et Zac. C'est-à-dire, Raymond adolescent dans l'acte 1 pourrait jouer Zac adolescent dans l'acte 2. Raymond adulte dans l'acte 2 pourrait jouer Zac adulte dans l'acte 3. J'aime l'idée car Zac désire ressembler à son frère même s'il dit le détester. On change la couleur des cheveux, se débarrasse des cicatrices et des tatouages et le tour est joué. Mais qui jouera Raymond plus vieux dans l'acte 3 ? Le même acteur, maquillé et vieilli ?

Pour les autres rôles du film, autres que ceux des Beaulieu, je n'hésiterai pas à prendre des acteurs non professionnels s'ils sont doués et surtout s'ils ont des gueules inusitées, avec du vécu, de l'étincelle. J'aimerais d'ailleurs que le casting contribue fortement à créer l'univers unique de *C.R.A.Z.Y.*

Le jeu des acteurs

Le type de jeu des acteurs en sera un réaliste, sobre, retenu, vrai, authentique, spontané. Privilégier le jeu du corps à celui du visage. Éviter les grosses réactions faciales. *Less is more* encore une fois.

Les acteurs utiliseront un français parlé représentatif de la classe moyenne. Sans changer le sens des dialogues, ils pourront les modifier, se les mettre en bouche. La voix du narrateur sera la seule du film à être teintée d'un certain lyrisme, subtil par contre. Plus subtil que celui de *Léolo*. Elle sera douce, chaude, rassurante, parfois chuchotante.

C.R.A.Z.Y. contient des scènes d'une grande charge émotive : la mort de Raymond, l'appel de Zac à sa mère à Jérusalem, les retrouvailles de Doris et de Laurianne à l'église. Pour éviter de tomber dans le mélo, ma note aux acteurs sera la suivante : toujours retenir l'émotion, ne jamais pleurer, ou presque. Être sur le bord des larmes mais ne jamais les laisser couler. Je préfère voir quelqu'un retenir l'émotion qui lui monte aux yeux que de voir quelqu'un pleurer à chaudes larmes.

On ne verra que deux personnages pleurer dans le film : Zac, 14 ans, à la suite de sa marche dans la tempête de neige ; puis Gervais, à la fin du film, lors de sa réconciliation avec son fils. Lui aussi échappera de petits sanglots qui lui secoueront les épaules. Dans les deux cas, on ne les verra pas de près, ni de face (sinon dans la pénombre), mais de loin, de profil ou de dos.

Pour les mêmes raisons, j'ai l'intention de couper juste avant la réaction de Laurianne qui apprend la mort de Raymond, au téléphone. Sinon, de rester loin d'elle et de ne voir qu'une partie d'elle, peut-être uniquement sa main, et de couper à la scène suivante le plus vite possible. Pourquoi s'attarder à sa réaction qui ne peut être autre chose qu'une réaction de douleur viscérale. Le moment devient donc prévisible et facile. On n'a pas besoin de montrer sa réaction. Surtout quand on a d'autres scènes qui suivent nous permettant de nuancer son déchirement, peut-être même avec une touche d'inattendu. C'est dans ces moments de retenue et d'économie que le film gagne en richesse et en nuance.

Je dirige les enfants de la même façon que je dirige les adultes sauf pendant les prises. Certains enfants ont besoin de plus de direction. Ce qui m'amène à leur parler pendant les prises, à les guider. Le son est donc à refaire, en partie, mais l'image est en boîte.

Enfin, je vais m'attarder sur des petits détails de jeu pour donner de la saveur aux performances, par exemple la façon qu'ont tous les Beaulieu de tenir et de lancer leurs cigarettes, ou la façon qu'ils ont de manipuler des disques avec grande précaution.

Le son

Le montage son et le mixage seront deux éléments clés dans l'installation du ton du film, de l'univers mystique, grâce aux silences, aux soufflements étranges, aux battements de cœur, aux brisures de son, aux textures particulières et à la musique qu'ils sauront garder parfois lointaine, mystérieuse ou faire exploser à plein volume.

Les effets visuels

Certains effets seront spectaculaires.

Je pense à la scène de la lévitation à l'église, et surtout à celle du spectacle imaginaire de Zac maquillé comme Bowie sur la pochette de l'album *Aladdin Sane*. Ces scènes doivent être folles, grandioses, magiques. Être impossibles. L'imaginaire de Zac, c'est sa soupape. Il a besoin de ces fantasmes fous pour survivre et pour permettre à sa nature profonde de respirer, l'instant d'un rêve.

Puis il y a la scène du désert où l'on suit des traces de pas solitaires dans le sable sur plusieurs kilomètres. Ma préférée. La plus complexe aussi à tourner, à planifier. Elle boucle l'histoire de Madame Chose et contribue, elle aussi, à la folie et à la magie du film.

Certains effets visuels se feront discrets, seront même invisibles aux yeux du public, comme celui d'un rayon de soleil virtuel ajouté en postproduction, ou celui du clonage d'une foule. Dans tous les cas, les effets visuels seront au service de l'émotion et non de l'action.

Le montage

Le montage sera à l'image du découpage. Il saura laisser respirer un plan ou un moment, comme il saura être parfois «funky» dans ses transitions en nous bombardant, par exemple, d'une série de plans rapides d'une fraction de seconde chacun, comme à la séance de photos du mariage de Christian.

À l'écoute de Zac, à l'affût de ses regards, le montage épousera souvent son point de vue.

Il n'hésitera pas à couper du plus gros au plus petit, d'un extrême gros plan à un extrême plan large, et vice versa, ou à couper dans l'axe, en «jump cut», ou à enlever des photogrammes d'un mouvement pour l'accélérer, à geler une image pour arrêter un moment crucial, et à la recadrer.

Le montage ne se souciera pas de façon excessive de continuité. Les ellipses et sauts dans le temps, en coupe ou en fondu, seront fréquemment utilisés.

Mots de la fin

«Funky», «sexy», pudique, drôle, touchant, magique, fou.

Voilà comment j'aime qualifier *C.R.A.Z.Y.*

Voilà comment je vois mon film.

Jean-Marc Vallée

Table des matières